# Bloeddorst

Mark van Dijk

Uitgever:
Books of Fantasy
Postbus 251
8260 AG Kampen

Opmaak: Rob van der Zwaard
Druk: Koninklijke Wöhrmann, Zutphen
Coverillustratie: Mark van Dijk
Coveropmaak: Rob van der Zwaard

Eerste druk: Oktober 2012

ISBN: 978-94-6086-042-3

BOOKS OF FANTASY
Imprint van Attest Fantasy, de uitgeverij die het fantastische magazine Pure Fantasy uitgeeft. BoF geeft nieuw talent, dat bereid is ook zelf te investeren, de kans zich te presenteren aan een bre(e)d(er) publiek. Inl.: www.booksoffantasy.com

*Ik draag dit boek op aan mijn maatje en goede vriend Floris Haasnoot. Om de fantastische tijd die we altijd hadden en alle mooie herinneringen die je me hebt gegeven. Jammer dat het er nooit meer zullen worden.*

Kom schrijvers, geleerden, profeten op papier,
de kans komt niet weer, dus kijk maar eens hier
en zeg nog maar niks, de roulette draait nog door
en de winnaar is niet te bestrijden,
maar hij die straks wint is wie gisteren verloor,
want er komen andere tijden!

Lennaert Nijgh – Er komen andere tijden
Oorspronkelijke tekst en muziek: Bob Dylan 1965

Pater Faria keek Edmond Dantès indringend aan.
'Het spijt me dat ik je heb helpen zoeken,' verontschuldigde hij zich, 'en
dat ik je heb gezegd wat ik moest zeggen.'
'Waarom dan?' vroeg Dantès.
'Omdat ik in je hart een gevoel heb gewekt dat er niet was: wraakzucht.'
Dantès glimlachte. 'Laten we over iets anders praten,' zei hij.
De pater liet nog even zijn ogen op hem rusten, schudde bedroefd het
hoofd en begon toen inderdaad over iets anders.

Alexandre Dumas – De graaf van Monte Cristo
Vertaling: Uitgeverij L. J. Veen & Jan H. Mysjkin 2010

Graag wil ik langs deze weg Marianne, Heleen, Ada, Bertine, Orlando en natuurlijk mijn vrouw Angela bedanken voor het lezen van dit boek toen het nog een manuscript was. Jullie feedback was van onschatbare waarde voor me. Ik waardeer alle tijd die jullie voor me hebben vrijgemaakt enorm.

Ook ben ik veel dank verschuldigd aan rechercheur Jan Abbink, die me een kijkje heeft laten nemen achter de schermen van het recherchewerk. Op enkele puntjes heb ik wat onvermijdelijke schrijversvrijheid moeten toepassen, dus onvolkomenheden op het recherchevlak zijn geheel en al aan mij toe te schrijven.

Dan rest mij niets anders dan het toegewijde team te bedanken, dat achter de schermen bij uitgeverij Books of Fantasy aan Bloeddorst heeft gewerkt. In het bijzonder natuurlijk Alex de Jong voor het vertrouwen in mijn verhaal en voor zijn hulp. Ook mijn redactrice Jannie de Zeeuw verdient alle lof voor de uren die ze boven het manuscript heeft zitten zwoegen met ongetwijfeld blaren op haar handen van het hanteren van de rode pen.

Samen hebben we er iets spannends van gemaakt!

Mark

# De eerste dag

## HOOFDSTUK 1

*Betrokken oppas (m/v) gevraagd voor één of twee avonden in de week.
Geen binnenzitter, maar iemand die energiek en enthousiast is. Heb
je genoeg verantwoordelijkheidsgevoel om een jongen van tien jaar te
begeleiden en ben je ouder dan 25 jaar, aarzel dan niet om te reageren op
deze advertentie. Vergoeding van tien euro per uur.*

Sylvia had de advertentie een paar dagen eerder in de Katwijkse
Post zien staan. Een krant die ze nooit eerder had gezien, maar
toevallig in haar handen kreeg toen ze eerder piekerend door Katwijk aan Zee slenterde.

Sylvia was al meer dan dertig jaar niet meer in Katwijk geweest. Na
haar kinderjaren aan de kust bij haar grootouders te hebben doorgebracht, had ze geen enkele behoefte meer gevoeld om terug te gaan.
Vanaf het moment dat ze met de gedachte begon te spelen, groeide haar
behoefte naar de zoute wind in haar lange, blonde haren. En wanneer
dat gevoel zich eenmaal in je genesteld had, was er blijkbaar, zelfs na al
die vergeten jaren, geen ontkomen meer aan. Als warme paraffine in een
lavalamp kwam een verlangen naar de verkwikkende zilte zeelucht bovendrijven en herinnerde ze zich hoe een strandwandeling vastgeroeste
gedachtegangen kon openbreken.

Terwijl ze haar auto een parkeergarage in het centrum inreed, werd
ze zich vaag bewust van een nostalgisch gevoel dat langzaam de kop op
stak. Vreemd, want ze was er van overtuigd dat dit betonnen monster er
in haar tijd nog niet stond.

Op weg naar het strand wandelde Sylvia, net als vroeger, over de Princestraat, toen nog hand in hand met haar opa en oma. Ze keek links en
rechts om zich heen en aanschouwde de winkels in de drukke, maar
gezellige winkelstraat van het dorp. Winkels die ze zich niet meer kon
herinneren. Ze slenterde in de richting van een boekwinkeltje, waar de
grappige naam "Het Boektiekje" op de gevel stond. Ze bleef even bij de
open entree staan, terwijl haar blik nieuwsgierig over het rek met kran-

ten gleed. Benieuwd of er stiekem toch nog wel eens iets in een slaperig vissersdorpje gebeurde, haalde ze een exemplaar van het lokale sufferdje uit de schappen en kocht het. Tot haar grote verbazing bleek de krant niet half zo suf als ze in eerste instantie had gedacht. Goed, het bleek geen wereldnieuws te bevatten, maar toch was het aardig om te weten dat er nog mensen waren die zich druk maakten om het voortbestaan van een kastanjeboom van honderdtwintig jaar oud, die vleermuizen wilden beschermen die in de bunkers in de duinen verbleven, die zich hard maakten om een 4x4 parcours te creëren tijdens de feestweek en dat soort dingen. Maar het belangrijkste wat de krant haar bood, was de oplossing voor het probleem dat haar door het lokale nieuws spontaan te binnen schoot. Ze liep al weken te tobben hoe ze haar opdracht het beste zou kunnen uitvoeren en deze krant had haar de oplossing op een presenteerblaadje gegeven.

Ze dacht terug aan het moment waarop ze haar opdracht had ontvangen. Maar vooral aan toen de Gerenommeerde haar even later apart had genomen. Hoewel hij de inhoud niet kende, was hij op de hoogte van haar missie en hij adviseerde haar eens in Katwijk te kijken. Ze kon zich niet voorstellen dat dit krantenbericht de reden was geweest, maar ze was hem er wel dankbaar voor.

Sylvia zat op de bank in haar modern ingerichte appartement. Met de krant in haar handen droomde ze weg naar vroeger jaren, waarin ze als klein meisje onbekommerd en vrij met een handjevol vriendinnen en wat vriendjes de dagen spelend in de duinen doorbracht. Waar ze naar kogels van schietoefeningen zocht en nieuwsgierig, maar stiekem, de bunkers bezocht die daar als stille getuigen van een afschuwelijke tijd waren overgebleven.

Ze sloeg de krant voor de zoveelste keer dicht en glimlachte zelfvoldaan.

Ondanks dat ze alleen in huis was, liep ze heupwiegend naar de telefoon en toetste voor de tweede keer het telefoonnummer in dat onderaan de advertentie stond. Ze moest zeker weten dat de afspraak op de afgesproken tijd doorging.

'Met Hans Klinkhamer.'

'Dag Hans, je spreekt nog een keer met Sylvia. We hebben gisteren bij je thuis kennisgemaakt.'

'Hé, Sylvia, dat is toevallig. Ik wilde je net bellen om onze afspraak van vanavond acht uur te bevestigen. Gewoon even voor de zekerheid.'

'Dat is zeker toevallig. Daar bel ik ook voor.' Ze giechelde als een schoolmeisje.

'Nou, onze organisatorische kwaliteiten zijn in ieder geval dik in orde. Daar ben ik blij om.'

'Ik ook! We zitten aardig op één lijn.'

'Gelukkig maar. Misschien vind je mijn aanpak een beetje overdreven, maar het is voor mij heel belangrijk dat het tussen jou en Jack klikt.'

'Dat snap ik heel goed. Ik vind het helemaal niet vreemd. Het is je enige zoon en je staat er verder ook maar alleen voor. Ik vind het juist heel slim. En voor mij is het ook prettig dat ik alvast even kan, ehh... proefdraaien, zeg maar.'

'Dat is leuk om te horen. Ik heb hier een heel goed gevoel over. We zien je vanavond!'

'Dag Hans. Tot vanavond.'

De dag hiervoor bleek dat ze als enige op de advertentie had gereageerd. Hans leek enthousiast en bleek bovendien erg aantrekkelijk. Met tegenzin moest ze toegeven dat deze Hans Klinkhamer door haar gedachten bleef zwerven. Ze zette hem uit haar hoofd, dat moest wel, en liep de trap op naar haar slaapkamer.

Omdat Sylvia die avond scherp en besluitvaardig moest zijn, besloot ze een hazenslaapje te doen. Ze liep naar haar kledingkast en kleedde zich langzaam uit. Normaal gesproken zou ze de jurk zonder nadenken over de stoel van haar kaptafel hangen, maar vandaag niet. Ze wilde dat Hans haar vanavond van haar beste kant zou zien en dat kon niet in een jurk met kreukels of valse vouwen, daarom hing ze de jurk voorzichtig aan een hanger en sloot de kast. Ze trok de rest van haar kleding uit en hing dit alsnog over de stoel. Voor de zekerheid zette ze de wekker en kroop onder het dekbed.

Om zeven uur haalde het irritante gepiep van de wekker haar ruw uit haar slaap. Uitgerust, maar met een slaperig gezicht, stapte ze uit bed. Voorzichtig haalde ze de bordeauxrode jurk weer uit de kast. De jurk zag er opwindend, maar tegelijk degelijk uit. Het decolleté was diep, maar niet diep genoeg om de jurk ordinair te maken. De onzichtbare panty eronder maakte het geheel af. Het was net niet teveel voor een toekomstige kinderoppas. Met soepele tred verliet ze de kamer.

Sylvia draaide de oprit van de fraaie bungalow aan de Zwarteweg op. Ze parkeerde en nadat ze was uitgestapt, keek ze vol verwondering om zich heen. De tuin naast de oprit werd zo te zien onderhouden door een tuinman met liefde voor zijn vak en een onbeperkt budget. Aan weerszijden stond het vol bijzondere bloemen en planten, die de tuin een haast feeërieke uitstraling gaven. Er leidde een smal paadje tussen de kleurige heesters en wilde bloemen door. Bij een volle struik met roodgele bloemen stond ze even stil en snoof de heerlijke geur van kamperfoelie op. Ze genoot nog van het zoete aroma, toen ze onverwacht de voordeur hoorde openen. Onwillekeurig schrok ze van de mannenstem die haar een goedenavond wenste. Als een betrapt schoolmeisje schoot ze overeind, een vuurrode blos verscheen op haar wangen.

'Je hoeft niet te schrikken, hoor. Je mag best aan de bloemen ruiken,' zei Hans Klinkhamer terwijl zijn sympathieke stem een glimlach verried.

Ze keken elkaar aan, waarbij Sylvia zijn ogen over haar lichaam voelde glijden. Ze deed alsof ze verlegen wegkeek, maar nam in werkelijkheid een geoefende pose aan, waarbij haar blanke huid, die een lichte teint van de zon had, uit de schaduw van de struik trad. Ze zette een halve stap terug en kromde haar rug iets, zodat haar perfecte figuur nog beter uitkwam in de zorgvuldig gekozen jurk.

'Ik voel me een beetje betrapt,' antwoordde ze quasi verlegen, terwijl ze Hans voor de tweede keer nauwkeurig in zich op nam. Hij zag er goed uit: groot en breed, met donker haar en een erg knap gezicht.

'Geneer je niet, dat is nergens voor nodig,' antwoordde Hans. Hij glimlachte charmant en stak zijn hand uit. 'Fijn dat je weer kon komen, Sylvia.'

Ze glimlachte haar liefste lach terug en even dreigde ze te verdrinken in zijn schitterende felgroene kijkers. Ze schrok van zichzelf en probeerde zich weer in de hand te krijgen. Resoluut stak ze ook haar hand uit. 'Fijn dat ik weer mócht komen,' antwoordde ze.

'Kom binnen.'

Ze volgde hem en opnieuw stond ze versteld van de ruime entree.

'Je hebt echt een schitterend huis,' zei ze vol bewondering.

'Dank je. Dat kan ik niet vaak genoeg horen, want er is hard voor gewerkt,' antwoordde Hans glimlachend.

'Waar is Jack, als ik vragen mag?'

'Hij zit boven achter de computer. Ik zal hem even halen,' antwoordde Hans. 'Hij is wat verlegen, maar dat zit in de familie.'

'Daar merk ik anders niets van.'

'Het was een grapje. Sorry. Ik zeg altijd van die stomme dingen als er een mooie vrouw naast me staat.' Hans hief zijn handen geschrokken omhoog en keek verbaasd. 'Waarom zeg ik dat nou weer hardop? Je zult wel denken dat je met een idioot te maken hebt.'

Sylvia glimlachte en kreeg opnieuw een kleine blos op haar wangen. Dit keer een oprechte. Ze zag Hans tot diep in zijn nek kleuren en vond dat ze iets moest zeggen om het moment voor hem iets minder gênant te maken. 'Dat denk ik niet snel, hoor. Bovendien vind ik dat iemand zich nooit voor een complimentje hoeft te schamen.'

Ze zag Hans opgelucht ademhalen. Zonder verder nog iets tegen elkaar te zeggen, liet ze zich naar de woonkamer begeleiden en nam plaats op een zwart-witte loungebank, waarna Hans zijn zoon ging halen.

Er klonken drie korte klopjes vlak voordat Jack de deur van zijn slaapkamer zag openzwaaien. Hij zat achter zijn bureau huiswerk te maken en bekeek zijn vader argwanend. Zijn vader leek een beetje zenuwachtig. Zo had Jack hem nog nooit gezien. Sinds zijn vader directeur was geworden, had hij hem zelfverzekerd op grote bijeenkomsten en congressen zien spreken, zonder dat er ook maar één zweetdruppeltje langs zijn voorhoofd gleed. Die rode wangen stonden hem voor geen meter.

'Wat is er aan de hand?' vroeg Jack bezorgd. 'Je hebt een heel rood gezicht.' Hij zag dat zijn vader verlegen glimlachte.

'Kom nou maar achter dat ding vandaan.'

Zonder te protesteren gleed Jack van zijn stoel en liep achter zijn vader aan. Op de overloop pakte zijn vader hem bij zijn schouders en keek hem aan.

'Nou, ze is er. Ik wil dat je weet dat ik je niets kwalijk neem. Ik snap heel goed dat je tegenwoordig betere dingen te doen hebt dan steeds met je vader mee te moeten. Ik hoop dat je goed met haar overweg kunt.'

Jack voelde zijn maag omdraaien en dacht na. Hij hield er niet van om vreemde mensen te ontmoeten. Maar steeds met zijn vader mee naar beurzen en congressen, vond hij ook niet meer leuk. Thuis had hij al zijn spullen en kon hij doen wat hij leuk vond. Hij had een paar keer voorzichtig aan zijn vader gevraagd of hij niet thuis mocht blijven, maar zijn vader had steeds geweigerd. En daar sinds gisteren blijkbaar een oplossing voor gevonden. Voor hem. Dat was lief.

'Dat hoop ik ook. Het komt wel goed, pap.'

'Zorg maar dat je jezelf straks van je beste kant laat zien, anders jaag je haar meteen de eerste avond al gillend naar huis.'

'Wees maar niet bang. Ik zal me gedragen.'

'Meer vraag ik niet.'

'Is ze aardig?' fluisterde Jack.

'Ja, ze ziet er heel aardig uit.' Hans grijnsde.

Jack lachte beleefd terug, maar miste de grap.

Samen liepen ze de trap af. Sylvia was inmiddels opgestaan en stond onderaan de trap op ze te wachten. Vertederd keek ze naar de tengere jongen, die waarschijnlijk iets te klein was voor zijn leeftijd, en haar met een ondeugende blik in zich opnam. Het viel Sylvia meteen op dat de ogen van de jongen dezelfde typische groene kleur als die van zijn vader hadden. Ogen waarachter senior gemakkelijk zijn verlegenheid kon verbergen.

'Nee maar, wat een grote, stoere vent!' riep ze. 'Hoe heet je?'

'Jack,' antwoordde hij verlegen en staarde naar de grond.

'Mijn naam is Sylvia van Staveren. Noem me maar gewoon Sylvia.' Ze gaf hem een aai over zijn bol en woelde even met haar handen door zijn dikke donkerblonde haar.

'Of krijg je liever een hand?' vroeg ze.

'Ja, eigenlijk wel,' mompelde Jack zacht, terwijl hij nog steeds naar de grond staarde.

Hans verbrak Jacks trance door vlak voor zijn ogen met zijn vingers te knippen. 'Even opletten, vriend! Ik ga opa en oma even ophalen van Schiphol. Ik ben binnen twee uurtjes weer terug. Je weet wat we hebben afgesproken, hè?'

'Ja. Ik gedraag me netjes,' antwoordde Jack gedwee.

'Hij lijkt lief, maar hij kan ook een draak zijn. Als hij lastig is, stuur je hem maar naar bed,' zei Hans tegen Sylvia.

Ze glimlachte. 'Komt goed. Ik denk dat we ons in de tussentijd wel weten te vermaken. Ik ben niet iemand die jou voor de televisie zet totdat je vader weer thuiskomt. Hou je van spelletjes?'

'Jawel.' Jack praatte zachtjes, waardoor Sylvia iets naar voren moest buigen om hem te kunnen verstaan.

Hans liep naar Jack toe. 'Je vindt het toch niet erg dat ik even weg ga?'

'Nee hoor,' zei Jack, terwijl hij zich aan zijn vader vastklampte. 'Kom je wel weer zo snel mogelijk thuis?'

Hans boog zich naar zijn zoon. 'Als het kon had ik je meegenomen, maar je weet hoeveel bagage opa en oma altijd hebben. Ik ben bang dat de auto propvol zit.' Hans deed alsof hij nadacht en keek zijn zoon toen twijfelend aan. 'Tenzij je het niet erg vindt om op het dak van de auto te zitten. Of misschien lig je liever in de kofferbak? Ik kan de klep open laten, zodat je lekker naar buiten kan kijken. Je moet alleen alle koffers en tasjes goed vasthouden. Heb je vijf handen?'

Jack lachte en schudde heftig zijn hoofd. 'Het maakt niet uit, pap. Ga maar. Ik red me wel.'

Hans haalde zijn schouders op en richtte zich tot Sylvia. 'Ik hoop dat hij zich een beetje gedraagt. Je bent zijn eerste, echte oppas. Tot nu toe

14

hebben alleen zijn opa en oma steeds op hem gepast, maar die worden ook een dagje ouder.'

'Ja, dat is altijd erg leuk,' zei Jack meteen. 'Oma leert gamen, maar ze kan er helemaal niets van. Hou je van gamen?' Hij keek Sylvia vragend aan.

'Natuurlijk,' zei ze meteen. 'En ik kan nog goed tegen m'n verlies ook!'

Hans grijnsde. 'Dan komt het allemaal wel goed.'

Nadat zijn vader vertrokken was, kroop Jack meteen voor de televisie en zette zijn x-box aan. Het openingscherm van een oorlogsspel verscheen in beeld. Er begonnen soldaten te rennen en anderen zochten dekking achter een oude jeep.

Sylvia kwam naast hem zitten en keek hem aan. 'Kom maar op met die controller. Ik zal je eens laten zien wat ik kan.'

'Goed opletten, hoor. We zijn samen en we moeten alle anderen doodschieten.' Vlug klikte hij een ander level aan, zodat ze geen schade konden aanrichten in zijn spelvoortgang.

'Dat klinkt logisch. Hou je niets achter? Je kijkt alsof je een binnenpretje hebt.'

'Kom, we gaan spelen.'

Het spel was geladen. Samen dwaalden ze door een kapotgeschoten stad en zochten de vijand. In de verte zagen ze vijandelijke soldaten in colonne lopen. Bewapend met een automatisch geweer rukten ze op om de aanval te openen. Ineens dook uit het niets een zombie naast ze op en deed een aanval.

Sylvia gilde van schrik. 'Wat is dat?'

Jack wisselde vliegensvlug van wapen en hakte met een machete het hoofd van de zombie af. 'Gaaf, hè? Je had je gezicht moeten zien. Schrok je erg?'

'Wat denk je zelf? Dus we moeten andere soldaten neerschieten en ook nog zombies afmaken?'

'Yep. Nou goed opletten. Ze kunnen overal vandaan komen.' Met een verbeten gezicht tuurde Jack het scherm af.

Een kwartier lang zaaiden ze dood en verderf in een verloren stad, tot Sylvia op een landmijn stapte en de klik niet hoorde die haar dood inluidde. In een daverende explosie blies ze niet alleen zichzelf op, maar ook Jack, die naast haar liep.

'Daar moet je wel op letten! Nog een potje?'

'Wat een rotspel! Weet je wat? Zullen we voordat we nog een spelletje doen eerst een eindje gaan lopen? Ik weet nog een hele spannende plek te vinden waar echte soldaten hebben gezeten.'

Jack keek bedenkelijk. Hij wilde eigenlijk gamen. Hij was net in een nieuw level gekomen en als ze niet meer meedeed, speelde hij daar liever in verder. Maar omdat hij zijn vader had beloofd om te luisteren, begon hij traag te knikken. 'Zijn we dan wel weer op tijd terug voordat mijn vader thuiskomt?'

'Dan lig jij al lang in je bed, mannetje. Hoe laat ga je normaal altijd naar bed?'

'Meestal om half tien'.

'Nou, dan hebben we nog meer dan twee uur! Dat redden we makkelijk. Ga je mee?'

Jack keek aandachtig naar Sylvia en merkte dat haar linkeroog vaker knipperde dan haar rechteroog. Dat was een zenuwtic, zoveel wist hij nog wel. Bovendien keek ze hem af en toe zo vreemd aan. Alsof ze hem… Alsof ze… Nou ja, er was iets vreemds met die vrouw. Hoewel… Misschien keken sommige vrouwen wel gewoon op die manier naar kinderen.

Zijn juf op school keek soms ook zo naar de klas. Maar zij was dan ook echt een gemeen kreng. Ze kneep kinderen wanneer ze boos werd en soms begon ze ineens te schelden.

Misschien had zijn moeder vroeger ook wel op die manier naar hem gekeken. Dat kon hij zich toch niet herinneren, omdat zijn moeder was overleden toen hij nog heel klein was. Ze was heel erg ziek geweest, maar had de ziekte gedragen als de sterke en stoere vrouw die ze was! In gedachten hoorde hij de stem van zijn vader, die bij iedere tegenslag altijd zei: "Dat zou je moeder ook niet klein hebben gekregen, dus ons ook niet!" Zijn vader klonk altijd trots wanneer ze het over zijn moeder hadden. Jack glimlachte in zichzelf en rechtte zijn rug. Zo'n oppas zou zijn moeder ook niet klein hebben gekregen, dus hem ook niet!

Een vriendelijk zetje tegen zijn elleboog liet Jack opschrikken uit zijn gedachten. 'Sorry, wat zeg je?' zei Jack toen hij zijn naam hoorde.

'Ga je mee? Ik ben er klaar voor.'

'Waar gaan we dan precies naartoe?'

'Dat zie je vanzelf wel. Het is echt heel indrukwekkend. Kijk je wel eens naar oorlogsfilms?'

'Soms.'

'Ga je wel eens met je vader naar de duinen?'

'Nee, papa werkt veel. We gaan soms wel naar pretparken. Telt dat ook mee?'

'Ja, dat telt ook mee. Maar dan wil ik je nu iets laten zien dat je nooit meer zult vergeten. Het heeft met je oorlogsspelletje te maken.'

'Ik ben benieuwd,' mompelde Jack nu hij weer aan zijn nieuwe level werd herinnerd.

Ze stapten in haar auto en reden over de provinciale weg richting Wassenaar. Jack was benieuwd waar ze naar toe gingen, maar kreeg niet de kans om dat te vragen, want Sylvia had over iedere bocht die ze maakten wel iets te vertellen. Ze namen de rotonde driekwart en daar ging ze weer.

'Hier was vroeger een schitterend hertenkamp, met allerlei dieren. Vooral herten, die zag je toen nog niet zoveel.'

'Oh.'

Bovenaan de heuvel draaide ze de Cantineweg op, een smalle landweg die langs de rand van de duinen liep en de scheiding vormde tussen nieuwbouw en duin. Onverstoorbaar praatte ze verder. Jack overwoog even om zijn vingers in zijn oren te steken, maar herinnerde zich net op tijd de belofte aan zijn vader.

'Ik zie dat de oprukkende nieuwbouw hier ook al woekert als onkruid. Ach, zo is er weer een karakteristiek stukje Katwijk verworden tot niet meer dan een willekeurige jeugdherinnering.'

'Het zal wel.' Zou hij een grapje maken over haar zenuwtrek? Nee, beter van niet.

'Het zal wel? Dit waren voorheen prachtige landerijen. Huizenbouw is haast even vernietigend als k... Oh, we zijn er.' Ze parkeerde de auto halverwege aan de zijkant van de weg, tegen de duinen. Beiden stapten tegelijk uit.

'Hier is het!' riep ze. Triomfantelijk overhandigde ze Jack de zaklamp, die ze zojuist uit het dashboardkastje had gehaald.

Jack nam aarzelend de lamp aan. 'Wat moeten we hier nou doen? Ik dacht dat we naar een film ofzo zouden gaan?'

'Nee,' zei ze, terwijl ze haar hoofd schudde. 'Ik vroeg of je van oorlogsfilms hield.' Ze knipte haar eigen zaklamp aan en uit, om te kijken of hij het deed.

'Wat heeft dat dan met de duinen te maken?'

'Dat zal ik je zo laten zien.'

Samen liepen ze de duinen in, het schelpenpad op. Het was rustig. Op Jack en Sylvia na, was er verder niemand te bekennen. Voor hen uit schoot een klein, bruin konijn weg van het pad. Het diertje sprong ge-schrokken in het groen achter het prikkeldraad. Een wit huppelstaartje verried waar het zich verscholen hield.

Al na een paar meter stond Jack even stil en ademde diep in. Hij rook die karakteristieke, frisse duinlucht, die alleen nóg lekkerder kan rui-ken na een regenbui. Het begon al zachtjes te schemeren en naast zich hoorde hij een aantal krekels die in het helmgras voorzichtig begonnen te tjirpen. Opeens twijfelde hij of het wel een goed idee was om met een vreemde vrouw, waar hij eigenlijk alleen haar naam van wist, de duinen in te gaan. Maar zijn vader vertrouwde haar, dus moest hij dat ook maar doen. Hij trok een korte sprint, zodat hij weer naast haar kwam te lopen. Ze volgden het paadje tot ze voor een tweesprong stonden.

'En nu?' vroeg Jack.

'Nu gaan we linksaf en lopen we door tot we aan onze linkerhand bunkers zien.'

Meteen stond Jack stil en staarde zijn oppas met grote ogen aan. 'Echt waar? Zijn daar echte bunkers? Uit de oorlog?' vroeg hij.

'Echte bunkers, uit de tweede wereldoorlog,' beaamde ze. 'Ik kan niet geloven dat je nog nooit met je vader door de duinen hebt gewandeld. Dit is zo'n mooi gebied. Dan had je ze zelf al veel eerder zien liggen.'

'Mijn vader heeft weinig tijd. Als hij tijd heeft, dan wil hij liever ont-spannen en lekker op het strand liggen.'

'Het zal inderdaad niet meevallen om een eenoudergezin draaiende te houden,' zei ze meer tegen zichzelf dan tegen Jack.

'Kunnen we gewoon bij die bunkers naar binnen?' vroeg Jack hoop-vol.

'Dat kan. Er zijn er heel veel dichtgegooid met puin, maar er zijn er ongeveer evenveel waar we nog gewoon in kunnen. Dat is niet overal meer zo, maar hier gelukkig nog wel, voor zolang het nog duurt, tenmin-ste. Het enige wat we nodig hebben is dit.' Triomfantelijk liet ze een klein zaklampje zien, dat ze al die tijd in haar hand verscholen had gehouden en zwaaide ermee voor zijn neus. Jack begon onmiddellijk te grijnzen.

'Waarom zijn hier toen eigenlijk bunkers gebouwd?' Jack keek haar nieuwsgierig aan en zag dat Sylvia het een stomme vraag vond.

Ze haalde haar schouders op. 'Dat vonden de Duitsers een goede stra-tegische plek.'

'Wat was er dan strategisch aan?'

Sylvia zuchtte geïrriteerd. 'Ze verwachtten vanuit zee te worden aan-gevallen door onze bondgenoten, daarom leek een kustlijn vol bunkers en een grote, dikke muur hen de beste verdediging. Op deze manier hebben de moffen bijna de hele kust van West-Europa bedekt, van Noorwegen tot Spanje aan toe.'

'Een hele muur langs de zee?'

'Nee, de Atlantikwall liep niet aan één stuk door. Het concentreerde zich op strategische punten en na de invasie van Normandië hebben ze de bouw zelfs grotendeels stilgelegd.'

'Ligt die dikke muur hier ook?'

'Ja.'

Jack liet de informatie op zich inwerken en keek Sylvia ondertussen bewonderend aan. Ze wist blijkbaar erg veel over de tweede wereldoorlog, of ze kon snel dingen verzinnen. Maar ze had jammer genoeg weinig zin om er over te vertellen. Dan had ze hem maar niet hiernaartoe moeten nemen, vond Jack en waagde zich nog aan een laatste vraag. 'Kunnen we straks ook bij die muur kijken?'

'Als we tijd hebben wel.'

Het viel hem op dat haar linkeroog weer heftig knipperde. Bovendien werd het erger naarmate ze dichter in de buurt van de bunkers kwamen. Waar zou ze toch zo zenuwachtig voor zijn? Misschien mocht ze niet meer in de duinen komen? Misschien had ze hier wel eens iets stoms gedaan? Brand gesticht of zoiets. Dat zou best kunnen. Hij had ooit eens met Tim per ongeluk een houten speelhuisje in brand gestoken. Het was nooit de bedoeling geweest om het hele huisje plat te branden, ze wilden alleen maar een openhaardvuur maken in de hoek. Net als zijn vader thuis ook altijd deed. Dat was zo gezellig. Maar ineens was de muur in brand gevlogen en konden ze het niet blussen, omdat ze geen water hadden. De beheerder van de speeltuin was woedend geweest. Ze mochten na het ongeluk nooit meer terugkomen. Ze waren verbannen voor het leven, had zijn vader hem verteld. Wat niet helemaal eerlijk was geweest, want zijn vaders verzekering had een flinke vergoeding aan de beheerder betaald, die daarvan toen een veel mooier huisje had gekocht.

Misschien was dit ook wel zoiets en was ze daarom zo zenuwachtig? Tenzij ze iets met hem van plan was? Ze waren hier per slot van rekening helemaal alleen. Het onbehaaglijke gevoel groeide met iedere stap, tot hij zelfs een beetje bang begon te worden.

'Wat gaan we daar ook alweer precies doen?' vroeg Jack voorzichtig. Ondertussen hield hij haar scherp in de gaten en zag hij dat er heel even een geïrriteerde frons op haar gezicht verscheen door al zijn vragen.

'We gaan daar gewoon even kijken,' klonk het toch nog redelijk vriendelijk.

'Maar het wordt steeds donkerder en we hebben maar twee zaklampen bij ons. Zitten er wel nieuwe batterijen in? We zijn daar helemaal alleen,' wierp Jack tegen.

'Kom nou maar mee. We zijn er bijna. Ik weet zeker dat je het leuk zult vinden.'

'Hoe weet je dat nou zo zeker? Je kent me nog maar net.'

Hij zag haar rustige uitstraling als sneeuw voor de zon verdwijnen, haar ogen werden koud en fel en haar gezicht nam ineens scherpe lijnen aan.

'Hou nou eens op met dat gezeur en stel niet de hele tijd van die stomme vragen! Je doet alsof je simpel bent! We gaan gewoon…'

Haar stem klonk ineens vriendelijk en de scherpe lijnen in haar gezicht werden meteen zachter. 'Oh, kijk! Daar zijn ze!' riep ze opgelucht. Ze strekte haar arm en wees de duinheuvels in.

Al was het volle maan, Jack moest zijn ogen tot spleetjes knijpen om ook maar iets in de grauwe verte te kunnen zien. Hij zag in een duintop iets dat op een smalle, maar hoge opening leek. Bovenop een andere heuvel stond nog zo'n stenen gleuf. Deze was nog slechter te zien, doordat de stenen verscholen lagen achter talloze struiken duindoorn. Maanlicht weerkaatste op de oranje besjes en gaven de heuvel bijna iets feestelijks, maar verder was er niets van de betonnen oorlogsmonumenten te zien.

Sylvia stapte over de lage, houten paaltjes waar prikkeldraad overheen gespannen was.

'Dit zijn waarschijnlijk niet de beste schoenen om de duinen mee in te gaan,' zei ze toen de hakken van haar rode pumps tot de zool in het zand zakten.

Jack hoorde het niet, hij was al een paar meter voor haar uit het dalletje in gerend. Op zijn hoede, maar opgejaagd door zijn nieuwsgierigheid, wachtte hij ongeduldig op haar.

Ze stapten samen door een kaal zanddalletje omhoog en ontweken zoveel mogelijk de stekelige duindoorn met zijn zachtgroene bladeren en vlijmscherpe doornen. Jack herkende de struik uit "Wat vind ik in de duinen", dat boekje dat hij ooit eens van zijn vader had gehad. Hij had er maar een handvol planten uit kunnen onthouden. De rest was gewoon een plant.

Boven op de heuvel aangekomen moesten ze nog een meter of tien door helmgras en over een tapijt uitgebloeide witte duinroosjes en andere duinflora, die om de beurt opdoemden in het schijnsel van de zaklamp. De schemer had intussen definitief verloren van de invallende nacht en in het zachte maanlicht kon Jack nog net de contouren onderscheiden van de bruine bakstenen gang die achter een ruim twee meter

22

hoge sleuf schuil ging. Aangekomen bij de stenen sleuf, zag hij dat Sylvia zenuwachtig om zich heen keek voordat ze hem de bunkeringang introk.

Met grote ogen van verbazing liet hij zich meevoeren. De sleuf was ongeveer vijftien meter lang en anderhalve meter breed. Tussen de muren lag zand, met hier en daar een verdwaald polletje gras. In het midden van de sleuf waren aan weerszijden twee deuropeningen. Jack bekeek de openingen en zag de grote, stenen kamers die erachter lagen. Toen hij met zijn zaklamp de kamer in scheen, zag hij dat er aan het eind nog meer kamers aan vast zaten. Maar Sylvia bleef hem maar meetrekken en ze liepen de kamers gehaast voorbij. Met grote passen liep Sylvia voor hem uit en Jack deed zijn best om bij te blijven. Voordat hij er erg in had wandelden ze aan de andere kant de sleuf uit en stonden weer buiten. Vanaf die plek zag Jack dat er nog meer van dezelfde hoge sleuven her en der in de aangrenzende duinheuvels verspreid lagen.

Sylvia stond even stil en leek zich te oriënteren. Jack maakte van de pauze gebruik om vlug weer naast haar te gaan staan. Hij vond de kolossale bouwwerken enorm indrukwekkend en wilde eigenlijk graag in de kamers rondkijken. Maar omdat ze steeds zo vinnig reageerde, durfde Jack dit niet voor te stellen.

Hij merkte dat Sylvia sneller begon te ademen en ze duwde hem nu voor zich uit. Ze daalden de heuvel af en uit het duister doemde er rechts van hem een vierkant blok beton op.

Het was overwoekerd met duindoornstruiken en hoog helmgras. Aan de zijkant groeide een flinke meidoorn. De witte bloemen aan de boom leken op te lichten in het donker en trokken even Jacks aandacht. Bovenop het blok beton lag een mat met half verdord gras, dat misschien nog wel uit de oorlog stamde. Daarmee was de bunker gecamoufleerd, zodat er vrijwel niets van te zien was.

Ze liepen behoedzaam om het grauwe blok beton heen, terwijl zich aan de achterkant een halve eeuw wildgroei openbaarde. Vol ontzag scheen Jack zijn zaklamp op de met planten begroeide trap, die, opgesloten tussen twee baksteenbruine muren, naar beneden leidde. Er groeide een kleine boom tussen een traptrede en de muur omhoog en de trap zelf was links en rechts met varens begroeid. Van onder naar boven liep een wirwar van dode takken en op iedere tree groeide een dikke laag mos. Bovenaan gedijde een grote boom. Zijn lange takken vol bladeren hingen precies boven het gat en verscholen met gemak het grootste gedeelte van de ingang. Er was slechts een klein, donker gat dat als doorgang kon dienen.

'Gaan we hier naar beneden?' vroeg Jack opgewonden.

'Dat is het plan, lijkt je dat niet spannend?'

Even twijfelde Jack, maar nu hij dit allemaal gezien had, waren zijn eerdere huiveringen geen enkele partij meer voor de nieuwsgierigheid die hem nu volledig in zijn greep had. Toen zijn avontuurlijke besluit eenmaal vaststond, bedacht hij zich ook geen moment meer en liep haastig naar de trap. 'Mag ik eerst?'

'Vooruit dan, maar let goed op. Het kan glad zijn.'

Jack stapte over een grote tak, die voor de trap lag en zocht voorzichtig met zijn schoen de eerste tree. Zodra hij zijn gewicht erop zette, hoorde hij het zompige geluid van nat mos. Sylvia volgde hem en terwijl Jacks ene hand steun vond bij de koele muur, greep zijn andere hand de overhangende takken van de boom vast. Behoedzaam zette hij zijn ene voet voor de andere op de glibberige treden. Bezorgd keek hij achterom en zag Sylvia's opgewonden blik en gloeiende wangen. 'Je pakt me toch wel op tijd vast, als ik uitglijd?' Zonder op antwoord te wachten zette hij zijn voet op de volgende tree en zocht opnieuw naar houvast tegen de muur. Hij was benieuwd hoe het er beneden uitzag. Misschien lagen er nog dingen uit de oorlog.

Op dat moment gleed zijn voet van de mossige tree en viel hij achterover tegen Sylvia aan. Onvoorbereid op wat er gebeurde, greep ze hem te laat vast en onmiddellijk schoof hij de laatste treden hard naar beneden. Van schrik gaf hij een luide schreeuw, maar die hield abrupt op toen zijn achterhoofd met een harde klap op de rand van een tree terecht kwam.

Sylvia probeerde met haar handen houvast bij de muur te vinden, verstapte zich en belandde op haar zij, naast Jack op de betonnen vloer. Geschrokken keek ze naar Jack. Hij kreunde zacht, maar was door de klap bewusteloos. Tussen zijn haren door zag ze een grote schaafplek die de plaats markeerde waar zijn hoofd de trede had geraakt. Inwendig vloekte ze om haar onoplettendheid. Ze had zelf wel bewusteloos kunnen raken en dan was alles voor niets geweest.

Moeizaam kwam ze iets overeind en keek de lange, koude gang in. Het liep niet naar haar zin. Ze krabbelde overeind en constateerde verschrikt dat haar jurk geruïneerd was. Er zaten grote, groenbruine vegen op en een kleine scheur in de zijkant. Met een pijnlijk gezicht wreef ze over haar zere zij. Toen ze naar haar geschaafde knieën keek, zag ze meer ladders in haar panty dan een brandweerwagen ooit dragen kon.

Met een zucht vermande ze zich en bukte om Jack op te tillen, maar meteen werd die beweging door felle pijnscheuten in haar zij afgestraft. Ze zag geen andere oplossing dan Jack aan zijn voeten te verslepen. Ze

24

trok hem de enige kamer in waar nog een deur in de scharnieren hing. Ze liet zijn voeten los, die met een rubberachtige plof op de betonnen vloer vielen. Met haar hele gewicht leunde ze op de zware gietijzeren hendel, tot deze met veel gepiep naar beneden zakte. Die had ze de vorige dag tijdens haar inspectieronde beter even kunnen smeren. De tien centimeter dikke, betonnen deur viel met een droge klik uit het slot. Ze zette haar voet tegen de muur naast de deur en trok uit alle macht om de deur open te laten zwaaien. Het gepiep van de roestige scharnieren echode door de lege ruimte. De kleine kamer achter de deur was zo'n twee en een halve meter breed en drie en een halve meter lang. Een klein raampje met dunne, stalen tralies moest de kamer overdag van een paar armoedige straaltjes daglicht voorzien. Aan het plafond staken aan weerszijden twee rijen met stalen haken uit het beton. In de oorlogsjaren hadden hieraan de bedden van de gelegerde soldaten gehangen, herinnerde ze zich uit een documentaire. De muren waren met graffiti volgespoten.

Sylvia sleepte Jack naar het midden van het vertrek en liet hem daar op het koude beton liggen. Gehaast liep ze naar de tegenoverliggende kamer, waar ze een paar flessen water en een plastic tas had klaargezet. Ze pakte de spullen en zette deze bij Jack in de kamer.

Bij de voet van de trap raapte ze de zaklamp op die ze Jack gegeven had en legde hem voorzichtig, haast liefdevol, bij Jack tussen de vingers. Bedenkelijk staarde ze naar het bewegingsloze lichaam van de kleine jongen. Ergens knaagde twijfel, maar ze kon nu niet meer terug. Ze nam haar definitieve besluit en liep toen gejaagd de kamer uit.

Sylvia sloot de deur, maar omdat haar adrenaline al aan het afnemen was, kostte het haar nu de grootste moeite om de hendel weer omhoog te krijgen. Zweetdruppels rolden al over haar voorhoofd toen de hendel ineens langzaam begon te stijgen en ze de langverwachte klik hoorde. Ze liep opnieuw de tegenoverliggende kamer in en haalde een lange stok tevoorschijn. Aan één van de uiteinden had ze een ring gemonteerd. Ze schoof de ring over de hendel en stak de steel schuin in het zand op de vloer en morrelde wat totdat ze er zeker van was dat de stok stevig op de betonnen vloer rustte. Door de deur op deze manier te vergrendelen, was de hendel aan de andere kant niet meer naar beneden te halen.

Met een voldaan gevoel liep ze de trap op en haastte zich terug naar haar auto. Halverwege haalde ze haar mobiele telefoon uit haar zak en probeerde te bellen. Ze wilde melden dat de opdracht tot dusver goed was verlopen, maar zag met een gefrustreerde blik dat ze geen ontvangst had. Dat ging lekker vandaag. Geïrriteerd liet ze de telefoon terug in haar zak glijden en begon harder te lopen om eerder bij haar auto te zijn.

Ze reed zo vlug mogelijk terug naar het grote huis. De tijd begon inmiddels te dringen. Aangekomen bij het hek, speurde ze voorzichtig de oprit af om te zien of de auto van Hans er al stond. Als hij eerder dan de afgesproken twee uur thuis zou komen, zouden haar plannen ernstig in de war geschopt worden. Gelukkig stond zijn auto er nog niet, dus haastte ze zich naar binnen en rende naar boven. Daar zocht ze de slaapkamer van Jack. Het bleek niet moeilijk de kamer te herkennen; het was de enige met een kast vol kinderboeken en behang met verschillende skateboardmotieven. In de hoek van de kamer stond een grote knuffelaap, ongetwijfeld ooit eens op een kermis gewonnen. Ze pakte de uit de kluiten gewassen knuffel van de vloer en graaide op goed geluk onder Jacks kussen naar zijn pyjama.

Het is ook overal hetzelfde, dacht ze hoofdschuddend.

Ze trok het knuffeldier de pyjama aan en legde hem in bed. Met grote zorg sloeg ze de deken over de knuffel en liet de voorpoot van het dier half onder de deken vandaan komen, er vanuit gaand dat dit in het donker op Jacks arm zou lijken. Het kussen lag half over zijn hoofd.

Ze zette een paar passen achteruit, hield haar hoofd schuin en keek goedkeurend naar het zojuist door haar gecreëerde tafereel. Net echt, dacht ze en glimlachte zelfvoldaan. Als ze Hans een beetje uit de buurt kon houden, dan zouden er voorlopig geen vervelende vragen komen.

Ze keek naar de klok. Inmiddels was het bijna kwart voor tien en de tijd begon nu echt te dringen. Opnieuw probeerde ze te bellen, maar het was nu wel duidelijk dat het netwerk eruit lag. Ze moest het dus alleen zien op te knappen. Het oorspronkelijke plan was om geen getuigen achter te laten, maar ze was niet overtuigd van haar kracht. Hans zag er gespierd uit en uit zijn bewegingen had ze kunnen opmaken dat hij vlug en behendig reageerde. Gelukkig hadden de meeste mannen een duidelijke zwakke plek.

Op de overloop hing een grote spiegel. Ze schrok toen ze haar spiegelbeeld zag. Er keek een verwilderde vrouw naar haar, met zwarte vegen op haar wangen en takjes in haar haren. Ze leek wel een heks, alleen de bezem ontbrak nog. Op deze manier kon ze het wel vergeten.

Op een drafje holde ze naar de enige slaapkamer waar een groot tweepersoonsbed stond en kleedde zich daar zo snel mogelijk uit. Haar pumps, de jurk en haar gehavende panty verdwenen onder het grote tweepersoonsbed. Ze griste Hans' ochtendjas van het hangertje aan de deur en holde naar de douche. Ze douchte zichzelf binnen een recordtijd en net toen ze de douche uitstapte, hoorde ze beneden de deur openslaan.

'Ik ben er weer, hoor!'

Paniek! Ze was nog niet klaar. Razendsnel paste ze haar plan aan en liep heupwiegend met niet meer dan de badjas aan haar lijf de trap af en wachtte gespannen op zijn reactie.

Toen Hans omhoog keek en haar in zijn badjas zag, gleed er even een glimp van verbazing over zijn gezicht, maar hij herstelde zich snel en liet verder niets blijken.

'Ligt Jack al op bed?' vroeg Hans onverschillig.

'Ja, we hebben spelletjes gedaan. Het arme ventje was doodmoe. Hij viel bijna meteen in slaap.'

Hans knikte naar de badjas. 'Wat heeft hij nu weer gedaan?'

'Er is een glas chocolademelk over mijn jurk heen gegaan. Ik stonk nogal, dus nadat Jack sliep wilde ik even stiekem gaan douchen, maar je hebt me betrapt.'

'Chocolademelk?'

'Ja.'

'Ik wist niet eens dat ik dat in huis had. Normaal lust hij geen chocolademelk. Hij houdt zelfs helemaal niet van chocola.'

Ze kleurde rood. Ongelooflijk! Welk kind houdt er nou niet van chocola? 'Ik wilde hem verrassen,' blufte ze. 'Toen vond ik een pakje cacao in één van je keukenkastjes. Daar heb ik chocolademelk van gemaakt.'

Hans fronste. 'Misschien is het dan maar goed dat het is omgegaan. Ik ben bang dat het pakje al jaren over de datum is. Alleen Marjan dronk wel eens chocolademelk.' Er ontsnapte een kleine zucht aan zijn lippen en er verscheen een korte glimlach. 'Dat was ik al bijna vergeten. Als we een bakkie deden, maakte ze weleens een mok warme chocolademelk voor zichzelf.'

'Marjan?'

'Mijn vrouw,' verduidelijkte hij. 'Mijn overleden vrouw.'

'Je vindt het toch niet erg?' vroeg Sylvia.

'Welnee, doe niet zo raar.'

'Was ze ziek?'

'Ja, ze had een tumor. Een hersentumor.'

'Maar dat is verschrikkelijk!'

'Het was voor ons allemaal een zware tijd. Maar gelukkig heb ik Jack nog. Hij lijkt erg op Marjan. Dezelfde glimlach en hetzelfde opgewekte karakter.'

Heupwiegend kwam Sylvia de trap af en legde haar handen liefdevol op de zijne. 'Het is inderdaad een fantastische jongen,' beaamde ze. 'Hij is geweldig.'

'Ja, hè? Ik ga gauw even gluren. Het blijft een mooi gezicht om hem te zien slapen.'

'Zou je dat nou wel doen? Hij ligt nog niet zolang. Straks maak je hem wakker.' Ze durfde niet verder aan te dringen.

'Ik kijk alleen even snel. Hij merkt er niets van.'

Hans liep de trap op en passeerde Sylvia. Op het moment dat hij achter haar langs liep, duwde ze haar billen iets naar achteren, waardoor ze vluchtig langs Hans' kruis wreven.

'Oeps, sorry,' mompelde ze zachtjes. Nauwlettend keek ze Hans na. Ze moest weten hoe hij reageerde op deze opzichtige flirt. Pas op de overloop zag ze de opwinding op zijn wangen en wist ze dat het goed zou komen. Al vanaf het begin had er een zekere spanning tussen hen gehangen, maar nu leek de lucht haast te sidderen. Ze had het zich dus niet verbeeld. Haastig volgde ze hem, zodat ze naast hem stond toen hij zachtjes de slaapkamerdeur opende en in het donker naar binnen gluurde.

Ze stond ervan te kijken hoe liefdevol deze man naar het slapende silhouet van zijn kind keek.

'Welterusten, Jack,' fluisterde hij.

Zachtjes sloot hij de deur en draaide zich om, waardoor ze oog in oog stonden.

Ze zag zijn schuchtere groene ogen verlegen heen en weer schieten en wist dat zij het initiatief zou moeten nemen, omdat er anders niets zou gebeuren. Deze man was niet meer gewend te jagen. Om hem aan te moedigen tuitte ze haar lippen een beetje en hield ze haar hoofd iets schuin. Het werkte, zijn hoofd kwam zachtjes naar voren en zijn lippen raakten de hare. Meteen sloeg ze haar armen om hem heen en zoende terug.

Ze voelde hoe zijn handen zachtjes haar billen grepen en hoe hij haar stevig tegen zich aan trok. Terwijl ze haar tong voorzichtig in zijn mond liet glijden, voelde ze zijn erectie door het katoen van de badjas heen. Sensueel bewoog ze haar heupen, alsof ze op onhoorbare muziek danste en maakte hem daarmee gek. Twijfelde ze eerst nog, nu wist ze zeker dat hij haar wilde. Hij tilde haar bij haar bovenbenen op en ze sloeg haar benen stevig om hem heen. Nog steeds zoenend bracht hij haar naar de slaapkamer en legde haar op bed. Tergend langzaam maakte ze het bovenste knoopje van zijn overhemd open. Toen het knoopje dat daar onder zat. Hij liet haar los en nam het over. Hij pakte zijn overhemd in het midden vast en trok het met één wilde beweging open. Overal vlogen knoopjes door de kamer. Elke verspeelde seconde was er één teveel. Het hemd werd op de grond gesmeten. De badjas belandde ernaast.

Uitgeput lag Sylvia languit in bed. Ze lag op haar rug, waarbij haar volle borsten net boven de deken uitkwamen. In gedachten verzonken staarde ze naar Hans, die met een gelukzalige glimlach naast haar op zijn zij lag en haar met die prachtige groene ogen indringend aankeek. Hans strekte zijn hand en cirkelde zachtjes met zijn vinger over een borst en rond de roze tepel, die hier meteen op reageerde.

'Ik vond het fantastisch,' zei Hans zacht.

'Ik ook.'

Ze voelde zich verward. Hij was zo leuk, maar tevens de vijand. Had ze hem nou maar eerder ontmoet. Er ging een wervelstorm aan emoties door haar heen. Maar wat ze ook dacht en vond, ze wist wat haar te doen stond. Ze zuchtte diep, kwam overeind en stapte het bed uit. 'Ik ben zo terug, hoor,' verontschuldigde ze zich.

Hans knikte loom.

Ze bukte voorover om de badjas van de vloer te pakken en gunde hem een blik op haar kont.

'Het duurt toch niet te lang, hè?' riep Hans haar na.

Na een klein minuutje kwam ze weer terug en boog voorover om Hans een zoen te geven.

'Je bent zo charmant,' fluisterde ze.

Langzaam opende ze haar badjas en keek even naar de naakte man die vol verwachting op het bed op haar lag te wachten.

'Doe je ogen eens dicht, lief,' zei ze.

Hans deed wat ze vroeg.

Sylvia legde haar vlakke hand op zijn voorhoofd en zag dat hij genoot van haar aanraking. Ze oefende iets meer kracht uit en drukte zijn hoofd nu bijna geheel in het kussen.

'Goed dichthouden, hoor.'

'Ik beloof het.'

In haar andere hand hield ze het slagersmes uit de keuken stevig vast. Met een klein beetje spijt in haar hart hief ze het mes en sneed in één soepele beweging zijn keel door. Ze wist precies waar ze moest snijden en hoeveel druk ze moest uitoefenen om ook zijn stembanden door te snijden. Hij mocht niets meer zeggen. Hij kon ook niets meer zeggen dat ze wilde horen.

Ze zag de vreemde uitdrukking op zijn gezicht, maar hij hield nog altijd zijn ogen dicht. Pas toen zijn ademhaling vreemd begon te rochelen en er belletjes bloed uit de snee in zijn keel verschenen, opende hij zijn ogen. Ze zag dat het nu pijn begon te doen. Schijnbaar emotieloos pinde ze haar blauwe ogen vast in het felle groen van Hans' ogen en zag de vertwijfeling. Hij had niet echt in de gaten wat er zojuist gebeurd was en probeerde het nu te begrijpen, die arme ziel.

Zijn ogen verbraken het contact en staarden naar het bijna schone slagersmes, dat ze nog altijd stevig in haar hand hield. Er liep een dun lijntje bloed over de lengte van het lemmet. Verbaasd bracht hij zijn handen naar zijn keel en tastte de wond af. Zijn vingers deinsden even terug toen ze in het bloed grepen. Nu het oogcontact verbroken was, volgde Sylvia gefascineerd de bewegingen van zijn vingers en staarde naar het bloed dat nu uit zijn opengesneden keel gutste. Vanuit haar tenen rolde plots een golf opwinding omhoog. Ze voelde hoe de irritante zenuwtic in haar linkeroog op hol sloeg, maar ze moest zich zien te bedwingen. Ze kon zich nu niet laten gaan.

Het leek erop dat Hans iets wilde zeggen. Bij iedere poging hoorde ze alleen dat walgelijke gereutel, dat bij ieder woord leek te verergeren. Zijn blik gleed hulpeloos over haar lichaam.

'Geef het maar op, lieve schat,' fluisterde ze. 'Laat het leven maar langzaam uit je vloeien. Je zoontje is in goede handen bij me.'

Ze bedoelde het niet kwaad. Ze wilde het hem zo gemakkelijk mogelijk maken, maar hij reageerde heel anders dan ze voorzien had. Zijn lichaam rilde. In plaats van gewoon op te geven, leek hij uit deze woorden juist energie te halen. Zijn gezicht vertrok van woede. Hij schoot overeind, hief zijn armen en greep haar keel vast. Ze schrok door de onverwachte reactie. Toen haar adem stokte, liet ze van schrik het mes vallen. Hij trok haar gezicht vlak voor het zijne en herhaalde wanhopig steeds hetzelfde onverstaanbare woord.

Van schrik greep Sylvia zijn handen vast en probeerde zich te verzetten, maar er zat nog teveel kracht in zijn vuisten. Ze huiverde toen haar gezicht zo dicht bij dat van Hans kwam, dat zijn warme bloed in haar gezicht spatte bij ieder woord dat hij probeerde te zeggen. Hans' handen leken steeds meer kracht uit te oefenen op haar ranke keel, waardoor ze moest kokhalzen en nu echt dreigde te stikken. Haar ogen puilden uit. Ze hapte naar lucht en er was genoeg daarbuiten, maar ze kreeg er nog geen fractie van binnen. Haar hoofd werd duizelig, haar lichaam slap. Langzaam zakte ze door haar knieën en belandde naast het mes op de grond. Doordat haar hersenen wild tegen haar schedel klopten, leek het alsof haar hoofd ging ontploffen. Ze zou alles willen doen, als dit maar ophield.

Haar vuisten sloegen zonder kracht om zich heen en raakten keer op keer het krijtwitte gezicht van Hans, die niets van zijn kracht liet verslappen. Haar hoofd duizelde en voor haar ogen begonnen zwarte vlekken te verschijnen. Haar gedachten werden onlogisch en ze kon zich niet meer concentreren. Ze liet haar handen langs haar lichaam vallen en ineens raakten haar vingers het mes. Ondanks de verwarring in haar hoofd, herkende ze het koude staal meteen. Haar vingers omsloten het heft en wilden het optillen, maar het mes was te zwaar. Ze kreeg het niet omhoog. Haar lichaam verkrampte in een laatste poging zuurstof in te ademen. Ze hield het mes nog altijd vast, maar het leek onmogelijk het meer dan een paar centimeter van de grond te tillen. Het was zo zwaar. Ze zakte door haar knieën, haar hoofd hing slap voorover.

Alles was pikzwart toen Jack in de bunker bijkwam. Hij kwam overeind en ging in kleermakerszit zitten. Met een pijnlijk gezicht wreef hij over zijn achterhoofd en probeerde zich te herinneren wat er was gebeurd en waar hij in vredesnaam was, maar er schoot hem zo gauw niets te binnen.

In zijn hand voelde hij een hard voorwerp. Aan de vorm herkende hij er een zaklamp in. Enigszins opgelucht, knipte hij de zaklamp aan en keek verbaasd de kamer rond waarin hij wakker was geworden en herinnerde zich dat hij met Sylvia bunkers aan het bekijken was. Ook de glijpartij schoot hem weer te binnen.

Het betonnen vertrek deed hem nog het meest aan een gevangeniscel denken. Aarzelend stond hij op en liep op de deur af. Hij probeerde deze te openen, maar de lange hendel zat muurvast. Toen zelfs een paar geïmproviseerde, maar welgemikte, karateachtige trappen niets uithaalden, bekroop een angstig voorgevoel hem. Hij zat opgesloten!

Paniekerig keek Jack om zich heen en zag nu pas dat er naast de deur een plastic tas stond met een paar flessen ernaast. Door zijn nieuwsgierigheid nam de paniek iets af en hij besloot in de plastic tas te kijken. Bovenin lagen een paar kaarsen en een aansteker.

Omdat de betonnen vloer met een dun laagje zand bedekt was, kreeg Jack een idee. Met zijn handen veegde hij een hoopje bij elkaar, duwde één van de kaarsen in de provisorische standaard en stak hem aan. Een klein vlammetje verlichtte onrustig flakkerend de ruimte. Nu kon hij de zaklamp sparen en makkelijker zien wat er nog meer in de tas zat. Voorzichtig haalde hij de verschillende voorwerpen eruit en zette alles netjes op een rij. Echt veel zat er niet in; een halve cake en een soort lunchpakketje, bestaande uit vier sneden brood belegd met chocoladepasta. Jack trok een grimas toen hij de chocoladepasta herkende. Verder stonden er nog een klein doosje met crackers en een pak Liga Evergreens.

Hij wist niet zo goed wat hij met de situatie aan moest en besloot alles maar weer op te bergen, voor het geval Sylvia hem zo zou komen ophalen. Hij begreep wel dat die kans erg klein was, maar zijn vader riep steevast dat je altijd hoop moest blijven houden. Zijn vader. Die zou hem wel komen redden, dacht Jack. Zodra hij merkt dat ik niet meer thuis ben, zal hij Sylvia dwingen om te vertellen waar ik zit en dan komt hij me bevrijden. Het kon nooit lang meer duren.

Door die geruststellende gedachte vond Jack dat hij na dit alles op zijn minst een paar Evergreens had verdiend en haalde ze uit de tas. Hij ging naast de kaars zitten, maakte twee pakjes tegelijk open en at gretig de vier liga's op.

Ondertussen wilde hij kijken of de zoekactie naar hem al een beetje vorderde, dus stond hij op en liep naar het getraliede raam om te kijken of hij in de verte al wat speurende lichtjes zag. Misschien hadden ze wel moeite met het vinden van de juiste bunker. Beteuterd merkte Jack dat het raam zich ongeveer een centimeter of dertig hoger dan zijn hoofd bevond, waardoor hij dus net niet naar buiten kon kijken. Zelfs niet als hij op zijn tenen ging staan.

Hoewel hij zich voor zichzelf groot had willen houden, was deze ontdekking zo'n grote teleurstelling dat hij zachtjes begon te snikken. 'Papa, ben je daar?' fluisterde hij. 'Pap! Ik ben hier!' Zijn gefluister won steeds meer aan volume tot Jacks huilerige kreet plots de stilte van die nacht ontregelde. Het leven buiten de bunker vluchtte hals over kop weg van het kabaal.

Er klonk opnieuw geritsel, gevolgd door een korte grom, als van een hond. Jack stond meteen muisstil. Hij durfde nauwelijks nog te ademen. Er klonk een snuivend geluid vlak onder het raam, alsof het beest Jacks lucht probeerde op te snuiven om te zien hoe hij zou smaken. Als het een beest was tenminste, dacht Jack. Want hoewel hij niet in monsters geloofde, zou het toch zomaar een monster kunnen zijn. Het was per slot van rekening donker en wie weet wat voor monsters er zo diep in de duinen woonden? Ze konden iedere nacht ongezien uit hun holen kruipen, zolang ze er maar voor zorgden dat ze voor zonsopgang weer terug waren.

Aan de andere kant: als hij de bunker niet uit kon, dan kon een monster er ook niet in. Altijd logisch redeneren. Had hij van zijn vader geleerd en zijn vader wist altijd alles.

Nou ja… Bijna alles, dacht Jack. *Als mijn vader wist waar ik nu uithing, dan was hij hier al lang geweest om me te redden.*

Weer dat gegrom. Het geluid kwam nog altijd onder de tralies vandaan en klonk nu luider en bozer dan eerder. Jacks gedachten sloegen op hol. Het monster wist dat hij hier zat en was nu ongetwijfeld een manier aan het bedenken om binnen te komen. Gisteravond had Jack op televisie naar de Gremlins gekeken. Die waren niet alleen eng en grappig, maar ook slim en gemeen. En die waren klein genoeg om tussen de tralies door te kunnen. En grotere monsters konden een gang naar binnen graven om hem te verscheuren en daarna op te eten! In gedachten zag hij de betonnen vloer al omhoog komen. *Betonnen vloer of niet, ik moet hem wegjagen, voordat hij begint te graven.*

'Wacht maar!' riep hij boos.

Hij pakte een van de plastic flessen en rende naar het getraliede raam. 'Ga weg!' schreeuwde Jack en ondertussen sloeg hij zo hard mogelijk met de fles tegen de tralies. 'Ga weg!'

Het gegrom stopte abrupt. Jack hoorde aan de brekende takken dat het monster wegrende en zich een weg baande door de prikkelbosjes met oranje besjes die hij op de heenweg overal gezien had. Hij luisterde tot er niets meer te horen viel en zakte door zijn knieën. Met trillende vingers schroefde hij de dop van de fles en nam een grote slok water.

Ineens realiseerde Jack zich dat hij zojuist misschien wel een monster had weggejaagd. Hij balde zijn vuisten en grijnsde van oor tot oor.

Jack stond op van de vloer en nam de fles mee. Hij liep naar de kaars in het midden van de kamer en ging ernaast liggen. *Papa vindt me straks wel,* dacht hij. Hij rolde zich op in foetushouding en sloot zijn ogen, terwijl de plastic fles als kussen diende. Door de harde vloer en de eenzaamheid van de vreemde plaats, kon hij moeilijk de slaap vatten. Jack lag op zijn zij en staarde gehypnotiseerd naar het dansende vlammetje van de kaars, die recht voor zijn gezicht langzaam opbrandde. Toen het kleine lichtje begon te flakkeren en langzaam doofde, sloten tegelijkertijd Jacks ogen en viel hij in slaap.

**R**ond drie uur, diezelfde nacht, ontbrandde er een kleine vlam op de geheime locatie die verscholen lag in Midden-Nederland. Een heel klein beetje van de grauwe ochtenddauw, die als een deken over het natte gras hing, schitterde in het karige licht, waardoor het leek alsof de grond met een dikke laag diamantgruis was bedekt. Midden-in het aardedonkere bos wiegden bomen zacht op de koele, zomerse nachtbries. Het was er doodstil. Er waren geen uilen die het bos vulden met hun nachtelijke kreten. Geen konijnen die nieuwsgierig rondhupten en geen vossen die de jacht inzetten op diezelfde konijnen. Er klonk die stikdonkere nacht niet veel meer dan wat geritsel van bladeren, wat er voor zorgde dat er een onnatuurlijk zware stilte heerste, de stilte van een onheilspellende verwachting.

Een tweede lichtje werd aangestoken door een kleine en gezette man met een bril. Langzaam, en met een vreemde pinguïnloop, liep hij naar de volgende lantaarn die al aan een boom hing en stak de kaars met de kleine fakkel in zijn hand aan. Terwijl de man op weg was naar de derde lantaarn, kwam er een silhouet los uit de schaduw van de eerste lantaarn. Langzaam naderde de schim de korte, bebrilde man en greep hem hardhandig met twee handen bij zijn schouders. Ontspannen draaide deze zijn hoofd om en begroette de ander met een korte knik en een chagrijnige blik.

'Zal ik je even helpen?' verbrak de nieuwkomer de stilte. 'Je moet er nogal wat.' Zijn lange en smalle postuur wierp een schaduw over de kleine man, die hierdoor geïrriteerd fronste.

'Hes, kom toch eens op tijd, man. We hadden al klaar kunnen zijn. Ik heb alle lantaarns ook al opgehangen. Zet jij die tafel maar op, als je wilt.'

Hes liet hem los en liep naar de grijze Volkswagenbus die net buiten de open plek geparkeerd stond. Bij de bus keek hij nog eens om en nam het gedrongen postuur van de ander hoofdschuddend in zich op en begon zachtjes in zichzelf te mopperen. 'Ik snap niet dat ik die grote bek van hem maar blijf pikken. Wie denkt hij wel dat hij is? Ik sta net zo hoog in aanzien bij het genootschap als hij. Ik ben nota bene medeorganisator van dit feest.'

Morrend pakte hij het marmeren tafelblad vast dat in het busje lag en probeerde het zonder succes op te tillen. Het blad was veel te zwaar voor hem alleen. De losse poten van de tafel waren een stuk lichter en beter te tillen. Samen met een zakje bouten en moeren, en een handvol roestvrijstalen strippen, bracht Hes ze naar de open plek. Hij plaatste de poten zorgvuldig in het midden, zodat iedereen er vanavond makkelijk omheen kon staan. De roestvrijstalen strippen werden als schoren aan de binnenkant van de poten vastgemaakt, waardoor ze meteen op maat stonden. Het luisterde nauwkeurig, want de tafel zou later een hoop gewicht moeten dragen.

Toen de poten naar zijn zin stonden, liep Hes zijn kompaan tegemoet en zag dat deze net een plastic kam door zijn vette, zwarte scheiding trok. 'Peter, help me even met het blad. Dat ding is loodzwaar.'

Samen tilden ze het marmeren blad naar de open plek en legden het bovenop de staande poten. Het blad viel precies over dikke, stalen centreerpennen, die uit de poten omhoog staken. Hes keek Peter verbaasd na, toen deze zonder een woord te zeggen meteen de plek weer verliet om verder te gaan met het ontsteken van de verlichting.

Hes liep opnieuw naar de bus en haalde er nu een groot, maagdelijk wit kleed uit en spreidde deze netjes over de tafel. Hij deed een paar stappen naar achter en bekeek het geheel. Hij knikte goedkeurend. De tafel maakte een belangrijk deel uit van de oude rituelen die deze nacht zouden plaatsvinden.

'Nog even testen,' mompelde hij tegen zichzelf en pakte met twee handen het blad vast en schudde wild aan de tafel. Er was geen beweging in te krijgen, het stond als een huis. Ze zouden hem niets kunnen maken.

Hij moest er niet aan denken wat er met hem zou gebeuren als de tafel onverhoopt tijdens het feest zou instorten. Ze zouden hem lynchen. Letterlijk. Voor de zekerheid controleerde hij de tafel nog één keer en na de tweede controle liep hij terug naar de bus, om de rest in orde te brengen. Het genootschap ging er prat op dat de feesten, die ze met behulp van vrijwilligers organiseerden, probleemloos verliepen. Hij zou niet graag de eerste zijn die één van de feesten verprutste.

Hes sloot de laadruimte en reed de bus naar een plek dieper in het bos. Daar verwisselde hij zijn kleding voor een lange, rode mantel, die hij uit de auto haalde. Tevreden keek hij in de zijspiegel naar het resultaat. De gladde mantel was netjes afgewerkt en had een capuchon, die Hes niet opzette. Vervolgens trok hij een plastic tas van de passagiersstoel en liep dezelfde weg terug.

Aangekomen op de open plek, zag Hes dat Peter inmiddels klaar was met de verlichting en ook zijn mantel droeg. Hij had wel de capuchon over zijn hoofd getrokken en zat lui onderuitgezakt tegen een oude boom. Blijkbaar wachtte hij op Hes. Boven zijn hoofd brandde een lantaarn zijn gele licht. Luidruchtig fladderden twee motten tegen het glas. Hes liep naar hem toe en hield de plastic tas die hij in zijn hand had, triomfantelijk omhoog. Vaag verscheen er een glimlach om Peters lippen. Hij gooide zijn hoofd naar achteren, waardoor de capuchon van zijn hoofd gleed. De schaduw van het flikkerende licht trok over zijn bolle gezicht en liet de veertiger er luguber uitzien.

Hes gruwde toen hij Peter zo zag zitten en vond hem een griezel. Net als eerder voelde hij zich absoluut niet op zijn gemak bij hem. Slechts met uiterste moeite kon Hes de blik van afkeer die over zijn gezicht trok, onderdrukken en dat maakte hem onzeker. De enige zekerheid die hij had, was dat Peter nooit iets zou doen wat de feestavond in de weg zou staan.

Peter adoreerde het genootschap. Hij leefde ervoor. Op jonge leeftijd was hij al bondgenoot geworden, via zijn ouders, die tot hun dood een hoge functie bij het genootschap hadden bekleed. Nadat zijn beide ouders vorig jaar om het leven waren gekomen bij een busongeluk in het buitenland, was Peter nog fanatieker geworden en had enorme risico's genomen door steeds nieuwe introducés mee te nemen. Uit angst dat zijn wangedrag de ondergang zou worden van het geheime genootschap, had de leiding Peter tot redelijkheid gemaand en hem vervolgens een erefunctie gegeven waarin hij de locaties van de feestavonden mocht aankleden. Op die manier konden ze hem beter in het oog houden.

Ontslag uit het genootschap was nu eenmaal geen optie. Je werd hooguit ontslagen uit het leven. Hes kende de verhalen en wist dat een persoonlijk onderhoud met de leiding geen pretje was.

Na het overleg was Peter aardig bekoeld geraakt en had zich een tijdlang gedeisd gehouden, maar de laatste maanden begon het weer te kriebelen bij hem. Je zag het aan de lust in zijn ogen en iedereen kende inmiddels zijn inhalige karakter. Hes vroeg zich af of Peter zich zou kunnen beheersen, wanneer het er onverwacht op aankwam. Dat was in ieder geval één van de redenen dat Hes zich niet langer op zijn gemak voelde tussen zijn consorten. Ze leken allemaal steeds roekelozer te worden en dat vergrootte de pakkans.

Hes leefde twee levens. Een leven bij het genootschap en zijn schijnleven; zijn werk, thuis en de rol van sociaal medemens. Beide in een redelijk evenwicht en geen van beide wilde hij opgeven.

Peter leefde daarentegen één leven; een leven in het genootschap. Zonder evenwicht, waarbij het enige gewicht op de weegschaal zijn eeuwige zucht naar genot en vernietiging was.

Hes stond vlak voor Peter en kon een ijskoude rilling niet langer onderdrukken. Een golf van afkeer gleed gestaag als kippenvel over zijn rug en deed zijn gezicht minachtend vertrekken. Zo plots als zijn walging opkwam, zo snel kreeg hij zijn gezichtsuitdrukking weer onder controle. Hij glimlachte voorzichtig naar Peter, die hem vanachter zijn bril met samengeknepen ogen bekeek.

'Sorry, ik kreeg een koude rilling. Maar het gaat nu wel weer, hoor. Mocht het je interesseren,' voegde hij er onverschillig aan toe.

'Kom zitten en laat zien wat je hebt.' De achterdochtige houding van Peter leek plaats te maken voor wat anders.

Hes maakte de zak open en haalde er een fles whisky uit.

'Red label?' vroeg Peter minachtend. 'Had je niet beter?'

'Dit is geen tijd om kieskeurig te zijn. Het is graag of niet.'

Peter rochelde diep uit zijn keel een grote fluim op en spoog de gele klodder drie meter verderop in het gras.

Hes gruwde weer.

'Even de boel reinigen van tevoren.'

Peter pakte de fles aan, draaide de dop eraf en nam een grote slok. Goedkeurend knikkend, slikte hij het vocht door en gaf de fles terug. Terwijl Hes de fles aanpakte, veegde hij met zijn andere hand vlug de hals schoon en nam een even grote slok.

'Nu is het wachten op de anderen en op de eregast van vanavond,' zei Hes, terwijl hij direct weer een grote slok nam en de fles weer aan Peter gaf.

'Geheimpje weten? Ik heb gehoord dat we twee eregasten krijgen. Een grote en een kleine,' zei Peter ingenomen.

'Een kleine? Ik weet niet of ik daar wel van hou.'

'Natuurlijk wel. We zullen het straks zien. Het kan nu niet lang meer duren.' Peter nam opnieuw een grote slok en inspecteerde het terrein voor een laatste keer.

Hes keek bedenkelijk. De twijfel was van zijn gezicht te lezen. Om geen argwaan te wekken draaide hij zich om en bestudeerde aandachtig één van de antieke lantaarns. Het was hem nog niet eerder opgevallen, maar door de opkomende grijze mist die ineens over de open plek trok, schitterde er een gouden gloed om het licht van iedere lantaarn, die fonkelend afstak tegen het donkere grijs van de zwak verlichte omgeving.

Het was een betoverend gezicht. Eigenlijk helemaal geen locatie voor wat er zich hier straks zou afspelen.

De bodem van de fles kwam al aardig in zicht toen de eerste gasten de geheime plek hadden gevonden. Iedereen droeg een rode mantel met capuchon. Sommigen droegen de capuchon over hun hoofd en anderen hadden hem achterover geslagen. Peter en Hes verwelkomden de gasten enthousiast en hielden geanimeerde gesprekken over het hoogtepunt van de avond. Plots zag Peter vanuit zijn ooghoek hoe de duisternis tussen de bomen zich ontdeed van een brede gestalte. Deze baande zich met zelfverzekerde pas een weg door de dichte begroeiing van het bos en liep recht op de marmeren tafel af. Het was een grote man in een gladde, zwarte leiderschapsmantel. De capuchon hing nonchalant op zijn schouders en in zijn handen droeg hij een kartonnen doos. Haastig liep Peter met zijn eigenaardige pinguïnloopje op de man af.

'Ah, Dimorf,' begroette Peter de man bij zijn leidersnaam, terwijl hij een kleine buiging maakte. 'Daar bent u dan. We zaten al op uw aanwezigheid te wachten. Het lijkt me beter dat u ze niet onder de tafel neerzet. Als we straks eindelijk eten, dan kunnen we er slecht bij.'

Nors keek het brede gezicht van de man op Peter neer en snoof verachtelijk. 'Aan je gore adem te ruiken heb je het al vroeg op een zuipen gezet. Beleefdheidshalve had je een kauwgompje kunnen nemen, zodat je mij deze teleurstellende begroeting had kunnen besparen.'

'Natuurlijk,' mompelde Peter. Hij stond iets voorover gebogen, zodat Dimorf zijn spottende blik niet kon zien. 'U hebt gelijk. Het zal niet meer gebeuren.'

'Daar vertrouw ik op.' Dimorf liep met de doos een meter of vijf bij de tafel vandaan en zette hem daar op de grond. Voorzichtig haalde hij verschillende flessen drank eruit tevoorschijn en drukte ze stevig in het dorre gras. Whisky, cognac, jenever, vieux, safari en gin. Voor ieder wat wils. Zorgvuldig werden er whiskyglazen naast gezet.

Alle aanwezigen hadden zich inmiddels om Dimorf heen verzameld en wachtten geduldig tot de Gerenommeerde van het genootschap het woord nam. Hij had de op twee na hoogste positie van het genootschap. Alleen de Vice-president en de President bekleedden een hogere functie. Ze droegen alle drie een zwarte mantel die hun leiderschap aantoonde.

Dimorf vroeg om stilte en kreeg die vrijwel meteen. Hij nam een presentielijst door en hield ondertussen scherp in de gaten of er geen ongenode gasten aanwezig waren.

Ondanks zijn drieënvijftig jaar bleef Dimorf een imposante verschijning. Zijn donkere stekels stonden vlot en verzorgd. Hij was gezegend met een uitgebreide vocabulaire en een enorme kennis, waardoor hij in korte tijd een behoorlijk aanzien had gekregen bij de twee directieleden van het genootschap.

'Geachte genodigden,' vervolgde Dimorf na het doornemen van de presentielijst. 'Nu we weten dat we alleen onder vrienden zijn, heb ik allereerst een paar korte mededelingen. Een bijzondere gebeurtenis: we hebben vandaag een nieuwe vriendin onder ons.' Dimorf strekte zijn arm en wees met gespreide hand naar een aantrekkelijke vrouw van eind dertig, met glimmend, zwart haar, die achteraan de groep stond. 'Ze heeft de test doorstaan en is betrouwbaar gebleken, dus maak zodadelijk kennis met haar en leer haar beter kennen.'

Het werd meteen iets rumoeriger in het publiek. Iedereen probeerde een glimp van de nieuwkomer op te vangen, waardoor hun mantels zenuwachtig langs elkaar schuurden. Links en rechts werd er iets gefluisterd.

Dimorf schraapte zijn keel, waardoor het geroezemoes onmiddellijk verstomde. 'Dan het volgende punt: de President en de Vice-president zullen over enkele minuten arriveren en ik verzoek jullie ze op gepaste wijze te begroeten.

Het genootschap heeft enorm zijn best gedaan om het u, ook deze avond weer, goed naar de zin te maken, zodat u merkt dat uw verplichte donaties niet slechts voor onkosten dienen, maar daadwerkelijk zo goed mogelijk besteed worden. Mede daardoor zal onze speciale gast zich weldra aan u openbaren. Wie dat is, houd ik nog even spannend, maar ik verzeker u dat niemand teleurgesteld naar huis zal keren.'

Meteen bij de eerste tekenen van voortijdig enthousiasme, hief Dimorf zijn beide armen in de lucht en maande de groep opnieuw tot kalmte. 'Voorts wil ik u opdragen dat wanneer u naar huis gaat, vanavond, er niets mag achterblijven wat op onze aanwezigheid hier vandaag zou kunnen duiden. U wordt allen geacht hiervoor zorg te dragen. Verder dank aan iedereen die deze buitengewone avond mogelijk heeft gemaakt. Geniet ervan en veel plezier.'

De aanwezige gasten klapten voorzichtig, waardoor er een gedempt applaus voor de spreker klonk.

De vrouw uit de aankondiging schonk zichzelf een safari in en ging naast de door haar meegebrachte cd-speler in het gele, verdorde gras zitten. Ze zette de cd-speler op fluistervolume aan. Gotische rock mengde zich met het zachte geroezemoes van de feestgangers. Het ravenzwarte haar van de vrouw danste licht op het zachte briesje dat tussen de bomen door waaide. Hes liep naar haar toe, begroette haar en liet zich naast haar in het gras zakken. Terwijl hij zijn ogen de kost gaf, stelde hij zich aan haar voor.

'Hallo, mijn naam is Hes. Welkom in de groep.'

'Ik ben Irma.' Ze keek van hem weg en staarde naar de grond. Hij zag dat ze op haar onderlip beet.

'Ben je zenuwachtig, Irma?' vroeg hij.

'Ben je gek?' Ze schudde haar hoofd en keek hem aan. Haar ogen schitterden. Het waren helderblauwe poelen waarin hij zou willen verdrinken. 'Ik heb hier maanden naartoe geleefd,' zei ze enthousiast. 'Ik ben wel blij dat ik straks naast de tafel sta, in plaats van erop.' Even schoten haar ogen naar de tafel die Hes eerder had neergezet.

'Ik ben wel altijd een beetje zenuwachtig,' bekende hij, terwijl hij haar blik volgde. 'Iedere keer weer,' ging hij verder. Doorgaans was hij niet zo'n prater, maar nu leek hij zijn woordenstroom niet meer te kunnen stoppen. Hij hoorde zichzelf zeggen: 'Ach, als iedereen eenmaal aan het eten is, dan kom ik wel weer los. Maar die roes waar ik de eerste keer in verkeerde, die heb ik nooit meer bereikt.'

Hij keek op. Er was een tweede vrouw bij hen komen staan. Ze schudde Irma's hand en stelde zich voor als Nathalie. Hes kende haar al. Een felle en opdringerige vrouw van middelbare leeftijd die tijdens het eten totaal iemand anders werd. Hij onderdrukte een rilling en hoopte dat ze het niet had gemerkt. Hij schrok steeds opnieuw wanneer hij haar transformatie zag.

Nu was ze echter nog de bemoeizieke tante die graag overal vooraan stond en haar mening verkondigde. 'Ik hoorde jullie gesprekje aan en…'

Hes merkte dat haar woorden niet tot hem doordrongen. Natuurlijk wilde ze er ook iets over zeggen; moest ze ook een duit in het zakje doen.

'Geen roes meer, Hes? Meen je dat nou? Dat kan ik me bijna niet voorstellen. Zodra ik dat vlees en het onbeheerste gegraai van de anderen zie, raak ik altijd in een soort vervoering. Er komt een soort oerkracht over me. Dan wil ik alleen maar… Wat zeg ik? Dan moet ik!' Haar woorden klonken schreeuwerig. Even keken anderen verstoord op, maar Nathalie leek het niet te merken. Ze had haar hand op Irma's arm gelegd en probeerde haar aandacht te vangen.

'Oh, dat heb ik niet,' antwoordde Hes toonloos. Hij baalde ervan dat Nathalie het gesprek aan het overnemen was. Hij had Irma graag wat beter willen leren kennen, maar alle kansen daarop leken nu vervlogen te zijn.

'Nou,' zei Irma. 'Als ik jullie zo hoor, dan wordt mijn eerste keer beslist spannend.' Ze wreef zich vergenoegend in haar handen en blikte even naar Hes. 'Ik ben reuze benieuwd.'

In gedachten verzonken staarde Hes naar de plek waar twee nieuwe schaduwen vanuit het bos de open vlakte opliepen, maar Hes zag ze niet. Hij voelde zich beroerd en dat kwam niet door de whisky. Zijn gedachten waren bij het ritueel dat zo plaats zou vinden. Ineens vroeg hij zich af wat hij hier deed.

Plots klonk er zacht, maar voorzichtig gejoel. Iedereen stond op. Ook Hes kwam in de benen en staarde opnieuw naar de nieuwelinge. Haar ranke vingers reikten naar de cd-speler. De gotische klanken stierven abrupt op het moment dat haar vinger de toets raakte. Toen ze opkeek, zag Hes hoe kinderlijk opgewonden haar gezicht stond. Op iedere andere plek was het een gezicht waar hij op slag verliefd op kon worden. Nu voelde hij walging opkomen. Ze verheugde zich op wat komen ging! Was hij voorheen ook zo geweest?

De twee schaduwen waren inmiddels dicht genaderd en droegen zwarte mantels. De eerste persoon liep iets voorovergebogen en had zijn zwarte capuchon ver over zijn hoofd getrokken. Omdat zijn gezicht verborgen bleef, leek hij op een zeisloze Magere Hein. Aan zijn zijde liep een jonge man met een zelfde soort mantel, maar zijn capuchon lag op zijn schouders, waardoor zijn zorgvuldig kaalgeschoren hoofd zelfs in de duistere lantaarnschemer nog glom.

De aanwezigen maakten onmiddellijk een ruime cirkel om de twee mannen en liepen zwijgend in een rituele dans om hen heen. Dimorf nam opnieuw het woord en iedereen viel tegelijk op hun knieën, het gezicht naar de twee personen gericht.

'President Accres en Vice-president Usurpator zijn gearriveerd!'

De mensen in de cirkel hieven traag hun armen en reikten naar de lucht, terwijl ze strak voor zich uit bleven staren.

Accres nam het woord. 'Vrienden, het is feest!' Zijn statige stem klonk vriendelijk. Haast beminnelijk. Hij gebruikte zijn handen om zijn woorden kracht bij te zetten.

Het gezelschap hield vol spanning de adem in.

'Het doet me veel plezier om jullie allen welkom te heten bij deze zeventiende bijeenkomst. Vanavond hebben we weer iets speciaals voor jullie in petto. Dankzij de gulle gaven die we hebben mogen ontvangen, hebben we opnieuw een hoogtepunt weten te bewerkstelligen, met wellicht een kleine bonus aan het eind. Het is spijtig dat we nog één iemand missen van de groep, maar we kunnen niet blijven wachten, dus ik zal jullie niet langer vervelen met mijn gepreek. Kijk en geniet.' Zijn handen wezen gracieus naar de kant van het bos waar Dimorf en Usurpator zojuist ongemerkt verdwenen waren. Even was het muisstil. Het opvallende silhouet van Dimorf doemde op uit het duister. Aan zijn rechterzijde liep de Vice-president. Samen droegen ze een jonge vrouw met zich mee. Haar versufte ogen schoten angstig heen en weer, terwijl haar lange, rode haar als een waaier achter haar aan wapperde. Ze sleepten de jonge vrouw naar de marmeren tafel en dwongen haar er voorzichtig op.

Hes kreeg een ongemakkelijk gevoel, maar verbeet zich, toen de jonge vrouw haar mond opende om iets te zeggen en er niets dan een onverstaanbaar gemurmel uitkwam. Ondanks haar droge en gescheurde lippen vond Hes haar schoonheid innemend.

Dimorf stond naast haar en keek haar uitdrukkingsloos aan. Alle aanwezigen stonden tegelijk op en liepen naar de tafel toe, hun gezichten geil en hongerig. Dimorf boog langzaam voorover. Hes haastte zich achter Peter aan, om haar handen tegen de tafel gedrukt te houden. Hes kon zijn ogen niet afwenden toen Dimorf met een krachtige ruk haar lange jurk openscheurde. Haar naakte borsten wiegden kort heen en weer. Uit alle macht probeerde ze te gillen, maar er kwam bijna geen geluid uit haar mond. Met een nieuwe krachtige beweging scheurde Dimorf haar slipje los en gooide het op de grond. De aanwezigen begonnen luid te juichen.

Hulpeloos naakt lag ze op de koude tafel. De mannen keken verlekkerd naar de zorgvuldig getrimde schaamstreek.

Hes keek weg toen ze hardhandig naar het begin van de tafel werd getrokken. Langzaam, maar doelbewust, liep Accres naar de tafel, zijn gezicht diep verborgen onder de capuchon. De aanwezigen scandeerden steeds luider zijn naam. Hij knoopte zijn mantel open, maar liet hem niet van zijn schouders glijden. Zijn krachtige erectie priemde door de opening naar buiten. Er kwamen haastig twee mannen uit de groep naar de tafel toelopen en grepen elk één van de benen van de jonge vrouw. Ruw werden ze uit elkaar getrokken. De paniek en de angst in de ogen van het meisje waren hartverscheurend, maar Hes was de enige die daar op lette.

Accres' hand begon aan een kleine verkenningstocht tussen haar benen.

Langzaam kwam het meisje uit haar verdovende roes en ontwaakte in de nachtmerrie waarin ze zich bevond. Ze begon tegen te stribbelen en het schorre gemurmel uit haar keel nam langzaam aan volume toe. Terwijl de mannen meer kracht op haar ledematen uitoefenden, bevochtigde Accres met spuug zijn geslachtsdeel en drong met een harde stoot het lichaam van het meisje binnen. Machteloos verzette ze zich nog heviger, wat de leden van het genootschap tot een nog uitzinniger gejoel bracht.

Accres boog voorover en even dacht Hes dat hij haar wilde zoenen, maar hij greep alleen met beide handen haar kleine, stevige borsten vast.

Ze kneep haar ogen stijf dicht en draaide haar hoofd opzij, zodat ze Accres niet hoefde aan te kijken. Na enkele minuten van harde, dwangmatige seks bereikte Accres zijn climax en verliet hij haar. Het meisje ontspande wat. Hes voelde een steek van medelijden, want hij wist dat de nachtmerrie nu pas echt begon. De plaats van Accres werd ingenomen door Usurpator, die zijn zwarte mantel al had losgeknoopt. Hij smeet zijn mantel op de grond en stootte zijn erectie ruw in het meisje. Een schreeuw van pijn ontsnapte aan haar lippen. Haar grote ogen vol ongeloof. Na Usurpator stapte Dimorf naar voren. Hij drong de bloederige massa tussen haar benen binnen en nam haar wild en agressief. Vol afkeer zag Hes hoe haar lichaam bij iedere stoot schokte. Haar verzet was inmiddels opgehouden. Ontredderd lag ze daar en liet alles willoos over zich heen komen. Hes wist dat ze nooit zou kunnen ontsnappen.

Peter floot tussen zijn tanden en knikte naar de arm van het meisje. Onmiddellijk kwam één van de leden aanlopen en nam de arm van het meisje over. Peter nam enthousiast de plaats van Dimorf in. Zijn vette haren kleefden aan zijn voorhoofd. Hes zag hoe hij zijn nagels diep in het vlees van haar bovenbenen drukte, terwijl hij wild tegen haar tengere lichaam stootte. Met afschuw keek Hes naar de duivelse glimlach die Peter op zijn gezicht had. Hij beleefde er plezier aan, dat was duidelijk. Hij genoot. Pas nadat Peter zijn hoogtepunt bereikte, trok hij zijn nagels uit haar vlees en liet daarbij een aantal kleine, bloedende sneetjes achter. Ondertussen nam de volgende al zijn plaats in. En daarna de volgende. Daarna weer.

Halverwege was Hes weggelopen en had overgegeven naast een van de bomen aan de rand. Hij zat op zijn knieën, met zijn gezicht afgewend van het ritueel. Plots werd hij pijnlijk bij zijn schouders gegrepen en naar de tafel geduwd. Braaksel kleefde nog op zijn wangen en aan zijn vingers. Met een even subtiele als vlugge beweging werd zijn broek door andere handen opengemaakt en naar beneden getrokken. Hes stribbelde hevig tegen, maar de handen bleven zijn schouders vasthouden en duwden hem en zijn slappe mannelijkheid tussen de benen van het meisje. Toen zijn kruis haar bloedende vagina raakte en het kleverige sperma van zijn voorgangers in zijn schaamhaar terechtkwam, begon Hes onmiddellijk opnieuw te kokhalzen. De handen lieten hem meteen los. Versuft zakte hij door zijn knieën en viel met zijn gezicht tussen de nog steeds opengetrokken benen van het meisje. Geschrokken deinsde hij achteruit om aan de intense hitte van haar kruis te ontkomen en keek angstig om. Zijn gezicht was besmeurd met sperma, bloed en braaksel.

Zijn schouders werden opnieuw vastgepakt en hij werd ruw aan de kant gesmeten, ver bij de tafel vandaan.

Zijn afwijkende gedrag veroorzaakte een doodse stilte. Na een paar seconden verbrak Usurpator de stilte en sprak die avond voor het eerst: 'Onze groep kent geen afvalligen. Losse eindjes worden weggeknipt. Deze avond is nog rijker dan we aanvankelijk dachten.'

Vragend keek Usurpator naar Accres, die slechts instemmend knikte. Een luid gejoel klonk op.

'Twijfel wordt bestraft,' antwoordde Dimorf. 'Ons genootschap kan louter bestaan door onvoorwaardelijke steun en loyaliteit. Alleen daardoor mogen wij ons gelukkig prijzen dat we tot op de dag van vandaag nog steeds mogen bestaan.'

Nog voordat iemand een kreet van instemming kon uitbrengen, voelde Hes een brandende pijn in zijn nek. Peter had hem met een fles drank zo hard in zijn nek geslagen, dat de fles was gebroken. Hes zakte in elkaar en werd door twee anderen aan de rand van de open plek gelegd en daar vastgehouden.

'Laat dit voorval onze avond niet verpesten en geniet van het feestmaal dat ons heeft mogen bereiken,' riep Accres.

De menigte stormde als een troep uitgehongerde leeuwen massaal op de grote marmeren tafel af. Het meisje met het rode haar gilde in haar doodangst toen een twintigtal hongerige handen in haar rauwe vlees begonnen te graven en te trekken. Hysterisch van de pijn probeerde ze zich te verzetten, maar de handen waren te snel en de mensen om haar heen te verwilderd. Iemand sloot zijn hand stevig om haar borst en beet zijn tanden diep in het zachte vlees. Een andere hand had zich in haar nek verschanst en probeerde het vlees van haar lichaam te trekken. Tanden beten zich vast in haar benen, armen, buik en zij. Haar hysterische geschreeuw hield abrupt op door de hap die Peter uit haar keel genomen had. Hij stootte een dierlijk gegrom uit, waarna er een bloederig papje uit zijn mond liep.

Met een ongekende gulzigheid werd er van haar gegeten. De ene bloederige hap was nog niet helemaal weggekauwd en doorgeslikt of er werd al weer een nieuwe hap genomen. Bloed droop van de tafel in het dorre gras en golfde in steeds minder krachtige stralen uit haar gekneusde lichaam. Haar starre gelaatstrekken verzwakten en maakten plaats voor verbazing. Langzaam gleed het leven uit haar eindeloos vernederde lichaam, terwijl de vraatzucht aan tafel doorging. Handen duwden elkaar weg en tanden raakten elkaar. Het eten ging door, tot er niet veel meer van haar gepijnigde lichaam overbleef dan botten en een bloederige drab met ingewanden.

De drie leiders trokken zich terug en schonken als waarschuwing voor de anderen het lichaam van Hes aan de leden. Hes werd naar de tafel gesleept en bovenop de resten van het jonge meisjeslichaam geworpen. De drie mannen keken goedkeurend toen Hes ruw van zijn mantel ontdaan werd. Terwijl de overige kleding nog van zijn lichaam werd afgerukt, begroeven de eerste vingers zich al in zijn vlees. Verwilderde gezichten vielen zijn lichaam aan.

Hes zag de bloederige tanden van Irma in haar wijd opengesperde mond op zijn keel afkomen. Hij schreeuwde om hulp, maar wist dat zijn laatste seconden waren aangebroken. Verzet had geen enkele zin meer. Hij had het zelf al talloze malen meegemaakt. Hij kende de verwildering van de geest en wist dat wanneer het oerinstinct eenmaal was bovengekomen, er voor de prooi geen ontsnappen meer mogelijk was. Voor hen niet, maar vooral voor hém niet meer.

Hij sloot zijn ogen, zette zich schrap en gaf zich over aan het zwart. Het kalme zwart verdreef de paniek die hem zojuist had gegrepen.

De pijn was steeds verschrikkelijk geweest, maar begon nu echt ondraaglijk te worden en op het moment dat hij zich dat realiseerde, gleed de pijn al langzaam van hem af en stierf, samen met Hes' bestaan.

De honger raasde voort over het levenloze lichaam van Hes.

Dimorf keek goedkeurend toen twee handen triomfantelijk het bebloede hart in de lucht hielden. Hij vond het een respectvol gebaar dat het aan de President van het genootschap werd overgedragen. Accres pakte het orgaan met beide handen aan, alsof het de hoofdprijs van die avond was en bracht het voorzichtig naar zijn mond. Zijn lippen sloten zich om de batterij van het leven en hij likte het hart gulzig af. Zijn tong maakte lange halen over de gladde spier.

Toen er geen bloed meer aan de buitenkant zat, pakte Accres het hart met vier vingertoppen bij elkaar en trok er een kleine scheur in. Als een goede wijn werd het bloed dat uit de kamers stroomde gulzig opgeslurpt. Toen er geen druppel bloed meer in het hart zat, kneep hij de levensspier in zijn vuist bijeen en smeet het taaie overblijfsel bij de overige restanten. Met een zichtbaar voldaan gevoel liet Accres zich in het dorre gras zakken en wachtte tot zijn groep uitgegeten was.

Van een afstandje keek Dimorf toe hoe Usurpator bij Accres kwam staan en hem een glas whisky overhandigde. Hij zag dat ze samen de groep in zich opnamen. Accres' blik bleef hangen op de gulzigste van de groep en Usurpator wees de meest terughoudende gast aan. Dimorf liep op beide leiders af om zich te laten vertellen wie de uitverkorenen waren. Aan hem straks de dankbare taak om ze te vertellen dat zij degenen waren die de resten van de lichamen onder de tafel moesten begraven, zoals de traditie dit voorschreef.

Nadat het gezelschap een half uurtje had uitgebuikt en geborreld, liep Dimorf naar de rand van het bos. Daar haalde hij achter een boom twee schoppen vandaan en liep weer terug. Eén ervan overhandigde hij aan een keurig verzorgde man, waarvan duidelijk te zien was dat deze een maatpak onder zijn mantel droeg. De man had net geduldig met vochtige doekjes het bloed van zijn handen en gezicht geveegd. Nadat Dimorf hem iets in zijn oor had gefluisterd, knikte deze, pakte de schop aan en maakte aanstalten om naar de tafel te lopen. Dimorf liep bij hem vandaan en wandelde naar Peter. Hij wist dat hij hiervoor zijn gezag moest laten gelden. Die Peter was een waardeloze vent. Die voelde zich ongetwijfeld weer te goed voor dit klusje.

Hij fluisterde Peter in iets zijn oor, waardoor Peter hem verontwaardigd aankeek. Dimorf besloot er verder geen woorden aan vuil te maken en keek Peter strak en stug aan terwijl hij hem de schep stevig in zijn handen drukte. Na een kleine aarzeling pakte Peter de schop aan en staarde naar de grond. Hij wilde blijkbaar toch nog iets zeggen.

'Ik dacht dat we nog niet klaar waren? Accres had het toch over een bonus?' vroeg Peter. Hij stond iets voorovergebogen, waardoor hij iets weg had van Igor, de gebochelde assistent van graaf Dracula.

'Hes was de bonus,' was Dimorfs korte antwoord.

'Dat is niet wat ik in de wandelgangen heb gehoord. En waarom is Sylvia er niet? Ze heeft nog nooit verstek laten gaan.'

'Bemoei je niet met zaken waar je geen verstand van hebt. Alles is onder controle. En nu graven!'

Vol minachting keek Dimorf Peter na, die beledigd naar de tafel liep, waar de nette man al was begonnen met het verzamelen van de restanten. Zwijgend keken ze elkaar aan en tilden het zware tafelblad naar de rand van de open plek. Daarna volgde het frame. Terug op de plaats waar de tafel gestaan had, groeven de mannen een anoniem graf voor de overblijfselen.

Dimorf liep terug naar de twee leiders en keek ondertussen zwijgend, maar geamuseerd, naar de kleine groepjes mensen die her en der verspreid over de open plek zaten, met glazen drank en sigaretten. De meesten volgden geïnteresseerd de graafwerkzaamheden die niet ver van hen verricht werden. De stilte om hen heen werd alleen verstoord door het geluid van de twee schoppen die gretig de aarde doorkliefden.

'Peter zeurde om de bonus,' zei Dimorf. 'Hij wilde weten waarom die niet kwam. Hij maakte zich zorgen en vroeg naar Sylvia.'

'Heb je hem afgewimpeld?' vroeg Usurpator.

'Natuurlijk. Ik duwde de schop in zijn handen en zei dat alles onder controle was.'

'Prima,' zei Accres, terwijl hij peinzend naar zijn glas keek. 'Maar ik maak me zelf ook een beetje zorgen.'

Er viel een korte stilte, die plots verbroken werd door het geluid van een brullende leeuw. Het was de ringtone van een mobiele telefoon.

'Neem me niet kwalijk,' mompelde Dimorf, 'deze moet ik even nemen.'

Dimorf draaide zich om, trok zijn mantel omhoog en haalde een telefoon uit zijn broekzak.

'Ja, schat? Wat is er?' fluisterde hij.

Usurpator glimlachte. 'Er is geen man zo groot, of er staat een nog grotere vrouw achter,' fluisterde hij tegen Accres.

'Is dat niet altijd zo?' vroeg Dimorf die hem gehoord had. Hij liet de telefoon terug in zijn broekzak glijden. 'Oké, waar waren we?'

'Accres maakte zich zorgen,' vervolgde Usurpator. 'Ik denk zelf dat er niet per se iets aan de hand hoeft te zijn. Ze kan ook voorzichtig zijn.' Usurpator keek Accres vragend aan.

'Dan had ze hier zelf toch kunnen zijn? Ik ben echt bang dat er iets is mis gegaan,' zei Accres weer.

'Als er iets mis is, dan horen we dat vlug genoeg,' zei Dimorf. 'Maak je nou geen zorgen. Sylvia weet heel goed waar ze mee bezig is. Waarschijnlijk was de weg niet vrij en heeft ze het zekere voor het onzekere genomen.'

'Dan had ze toch contact opgenomen?' antwoordde Accres stekelig. 'Ik heb sinds vanmiddag niets meer van haar gehoord.'

'Dat is vreemd, maar toch denk ik dat Dimorf gelijk heeft,' viel Usurpator hem bij. 'Sylvia is capabel genoeg. Ze heeft haar missie afgeblazen of aangepast. Het is niet de eerste keer dat zoiets gebeurt.'

'Dat is waar, maar die anderen hebben wel steeds op tijd verslag uitgebracht en waren vervolgens 's nachts aanwezig. Ik ben er niet gerust op.'

Usurpator knikte traag. 'Goed, dan. We houden het nieuws in de gaten en morgenochtend hebben we overleg.'

# De tweede dag

## HOOFDSTUK 4

Langzaam kwam de zon achter de duintoppen omhoog. De eerste waterige zonnestralen gleden moeiteloos om het koude staal van de tralies en streken met tedere gebaren over Jacks vuile en stoffige gezicht. Voorzichtig opende hij zijn ogen, maar kneep ze meteen weer samen, toen hij na een nacht vol duister recht in de stralen van de ochtendzon keek.

'Waar ben ik?'

Met samengeknepen ogen probeerde hij de omgeving te herkennen, maar de zanderige vloer en de grijze, betonnen muren kwamen hem onbekend voor. De tas met levensmiddelen riep al evenveel vragen op.

'Waar ben ik toch?' vroeg hij zich vertwijfeld af.

Hij zat een paar seconden ineengedoken voor zich uit te staren, zijn blik strak op de plastic tas gericht. Langzaam kwamen de herinneringen aan de slopende nacht terug, een herinnering met alle monsterlijke geluiden en de angst van het alleen gelaten zijn. De oppas had hem in de val gelokt. Hij zat nu gevangen in de duinen, ver van alle schelpenpaadjes, waardoor niemand hem kon horen wanneer hij schreeuwde. Gisteravond in ieder geval niet.

Hij ging verzitten en luisterde scherp of hij iets of iemand hoorde. Er klonk een zacht geritsel in de bosjes nabij de bunker. Weer een monster, was zijn eerste gedachte. Maar toen hij beter luisterde, viel het hem op dat de geluiden te voorzichtig waren voor een groot beest.

Gisteren had hij gezien dat de bunker omringd was met stekelig gras en prikkelbosjes. Daarin kon je onmogelijk geruisloos bewegen, tenminste niet als je zo groot als een monster was. Dit waren geluidjes van kleine dieren, waarschijnlijk konijnen of zo. Het gegrom van afgelopen nacht had hij zich misschien zelfs verbeeld. Dat kon haast niet anders. Er waren helemaal geen monsters. Behalve dat vreemde mens dat zich zijn oppas had genoemd.

Jack stond op en liep naar de deur. Met een krachtige beweging trok hij aan de roestige deurklink, maar er was geen beweging in te krijgen. Hij liep daarna naar de oude tralies, die zo hoog zaten, dat hij alleen maar lucht zag. Misschien zaten er wel een paar spijlen los? Hij ging op zijn tenen staan en pakte ze boven zijn hoofd vast. Hoe hij er ook aan rukte en trok, er was geen beweging in te krijgen. Hulpeloos zakte hij weer in elkaar.

Na een kwartier, of een half uur – wie zal het zeggen zonder klok – hoorde hij in de verte een auto voorbij rijden. Een auto met een zware motor. Het geluid was sterk genoeg om hem meteen op te doen veren en luidkeels om hulp te roepen. Het geluid van de zware motor hield even aan en stierf toen langzaam weg in de omgeving.

'Ik zit te ver weg. Hij hoorde me niet,' mompelde Jack tegen zichzelf. 'Wat moet ik nou? Als niemand me vindt, ga ik straks dood van de honger.'

Geschrokken van die gedachte herinnerde hij zich ineens de zak met levensmiddelen die in de hoek stond. Jack liep er naartoe en nam weer twee pakjes Evergreens. Ongeduldig scheurde hij de liga's uit hun verpakking en schrokte ze naar binnen. Om daarna zijn droge mond te verhelpen en zijn dorst te lessen, dronk hij gulzig de helft van het water uit één van de twee plastic flessen.

Eingszins teleurgesteld bekeek Jack de grijze bunker nu voor het eerst in het licht. Het stelde in het donker al niet veel voor, maar in daglicht werd het ook niet veel beter. Hoewel het raampje te klein was om het hele vertrek te verlichten, kon hij duidelijk zien dat het niets meer dan een klein, betonnen hok was, met één deur en één raampje. Weer liep hij naar de deur en begon eraan te trekken en te rukken, maar er was nog steeds geen beweging in te krijgen. Hij moest nu eerlijk zijn tegen zichzelf: hij werd een beetje bang.

Jack draaide zich om en liep in trage pas en met een gebogen hoofd een rondje langs de muren. Daarna nog één, en nog één. Op zijn vieze wangen werden lange, schone strepen getrokken door tranen die geruisloos over zijn wangen biggelden. Hij voelde zich hulpeloos en alleen.

De Liga Evergreens hadden zijn maag gevuld, maar niet voor lang. Na een aantal rondjes begon zijn maag weer te knorren en voelde hij de drang om aan het pak crackers te beginnen. Maar wat moest hij doen als straks alles op was? Als er zelfs geen water meer was? Hij wist het niet. Eigenlijk wilde hij het antwoord ook niet weten. Hij moest gewoon bevrijd worden voordat het zover was. Die vrouw zou zeker terugkomen. Dat moest wel. Ze had hem hier toch niet voor niets opgesloten?

'Hé!' riep Jack opeens tegen zichzelf om de stilte te verbreken. Vlug veegde hij zijn tranen weg. 'Er staat van alles op de muren geschreven! Dus komen hier soms mensen!' Aangemoedigd door deze ontdekking begon hij alle teksten te bekijken. Johnnie, Angela, Erik en Lisa waren al eerder in de bunker geweest. Jack keek naar de data die ze achter hun namen geschreven hadden. Dat was al een tijdje geleden. De meeste data waren zelfs uit de vorige eeuw. Dat gaf niet veel hoop. Ook begreep hij niet alle teksten even goed. De scheldwoorden wel natuurlijk, maar daar las hij maar gauw overheen. Het meeste was onleesbaar geworden door de vele verschillende kreten die over elkaar heen geschreven waren. En sommige schrijvers gebruikten soms vreemde afkortingen die hij op school nog nooit gehoord had.

Op school. Het was een doordeweekse dag, dus daar had hij vandaag ook naartoe gemoeten. En wanneer hij niet zou komen opdagen, dan zouden er vast veel mensen zijn die zijn vader wilden helpen met zoeken. Dat kon niet anders. Het was gewoon een kwestie van afwachten en geduld hebben.

Verveeld ging hij nog maar een keer rondjes lopen, maar om de tijd te doden hield hij nu de tel bij. Wanneer hij bij honderd was, mocht hij de laatste twee pakjes met Evergreens, besloot hij.

Na een korte nachtrust was de driekoppige leiding van het genootschap die ochtend in de auto gestapt en naar de vergaderplaats gereden. Dimorf en Usurpator kwamen beide ergens uit Zuid-Holland, maar Accres woonde in Drenthe. Om de reistijden voor iedereen een beetje gelijk te houden, hadden ze na lang zoeken een schitterende en verlaten locatie gevonden die voor iedereen redelijk centraal lag.

De vergaderplaats was een oud, vergeten schuurtje dat aan de rand van een enorm veld stond. Het schuurtje lag verscholen op een apart hoekje, achter struiken en hoge bomen en diende al geruime tijd als vaste vergaderruimte. In vroeger dagen was het veertig hectare grote veld akkerland geweest, maar sinds het was gekocht door een projectontwikkelaar, lag het braak. De grijsbruine kleuren van het verweerde hout en de vervallen staat van het krakkemikkige schuurtje, gaven de geïsoleerde plek een mistroostige indruk.

Terwijl er buiten een waterig zonnetje omhoog klom, woedde er binnen een heftige discussie. Dimorf, Accres en Usurpator droegen geen mantels, maar hadden voor de vergadering informele kleding aangetrokken. Het was bijzonder zeldzaam dat ze elkaar zo zagen. Anders dan gisteravond stond er nu een bril op Accres' neus.

Omdat geen van hen liever met zijn eigen naam werd aangesproken, bleven ze elkaar voor de vorm aanspreken met hun genootschapnamen. 'Er is nog steeds geen contact geweest,' zei Accres.

'Ik begin me nu ook zorgen te maken. Maar ik begrijp het niet. Ze is altijd zo voorzichtig,' reageerde Usurpator.

'In het slechtste geval is ze opgepakt. Dan moeten we vertrouwen op haar zwijgen,' zei Accres ongerust.

'Het is inderdaad een beetje verontrustend,' gaf Dimorf toe. 'Ik stel voor dat we een bescheiden zoekactie op touw zetten, voordat er iets uit de hand gaat lopen. Misschien is er nog tijd om in te grijpen.'

Usurpator reageerde fel: 'Niets daarvan! Een zoekactie zou de aandacht op het genootschap kunnen vestigen.'

Dimorf sloeg zijn vuist op tafel. 'Onzin! We lopen juist gevaar wanneer we niets doen en gaan zitten afwachten. We weten helemaal niets. Niet of de opdracht is uitgevoerd, niet of ze nog leeft, niet of ze is opgepakt, helemaal niets!'

'Ik moet me bij Usurpator aansluiten,' zei Accres. 'We kunnen het risico niet lopen om ontdekt te worden. Stel dat we regelrecht een politieonderzoek binnenwandelen en daarmee de aandacht op ons vestigen? Dan is het einde van het genootschap in zicht. Erger nog, dan is óns einde in zicht.'

'Misschien is ze geschrokken en gevlucht. Misschien is er verder niets aan de hand,' zei Usurpator.

'Misschien, misschien,' zei Dimorf obstinaat. 'Dat zijn twee misschiens en een heleboel onzekerheid. Nee, we moeten adequaat reageren. Nu kunnen we nog ingrijpen. Als we wachten, dan komt elke reactie te laat. Juist nu hebben we nog alle kansen om zaken recht te zetten, mits we maar op tijd zijn. Voor zover we weten hebben we nooit de aandacht getrokken en hoefden we nooit iets te vrezen, maar zodra er ook maar iets, hoe klein en onbenullig ook, uitlekt, dan is alles voorbij! Voor het behoud van de bewegingsvrijheid die we nu nog genieten, moeten we erachter zien te komen waarom ze geen contact meer opneemt. Vandaag nog!'

Vragend keek Usurpator naar Accres. 'Hier ga je toch niet mee akkoord? Dit wordt het begin van ons einde.'

Accres schoof met zijn wijsvinger zijn bril naar achteren. 'Ik denk dat Dimorf toch gelijk heeft, hoewel hij wel zijn plaats moet kennen, aangezien hij niet in de positie verkeert om bevelen te geven,' zei Accres vermanend. 'We moeten eerst wat licht op de feiten laten schijnen. Er is ons nog niets bekend. Wat zoveel inhoudt dat wij niets weten, maar waarschijnlijk betekent dit ook dat anderen nog niets weten. We houden daarom het nieuws goed in de gaten en brengen elkaar continu op de hoogte.'

Dimorf keek geërgerd en zuchtte vermoeid. 'Uiteraard zonder dat ik mezelf wil opdringen,' viel hij Accres sarcastisch in de rede, 'wil ik je allereerst een compliment maken... dat je zoveel woorden in zo'n nietszeggende en vooral slappe zin kunt stoppen.'

Bij de eerste helft van de zin keek Accres nog zelfvoldaan naar Dimorf, maar toen de tweede helft kwam, betrok zijn gezicht, terwijl hij de woorden op zich in liet werken.

Dimorf gaf hem niet de kans om te reageren en vervolgde in één adem: 'Zou ik misschien de expliciete opdracht van Sylvia mogen weten?'

'Neem me niet kwalijk, Dimorf. Ik nam aan dat Usurpator je reeds op de hoogte had gesteld. Als adept heb je natuurlijk het volste recht op die informatie.'

Usurpator schudde geïrriteerd zijn hoofd door het kinderachtige vocabulaire gevecht tussen de twee mannen.

Accres liet een overdreven stilte vallen. Ik zit weer op de kleuterschool, schoot het door Dimorfs hoofd.

Eindelijk begon Accres te praten: 'Sylvia zou ons gisteravond het lichaam van een kind brengen.'

Een kind, schoot het door Dimorfs hoofd, wat moeten we nou met een kind?

'Ze heeft die middag nog contact met me opgenomen en me geïnformeerd dat de opdracht volgens plan verliep. Ze had een tienjarige jongen op het oog. Zijn vader zocht een oppas en Sylvia heeft gereageerd. Ze had gisteravond met de man afgesproken. In een notendop; ze zou de jongen op een veilige plaats onderbrengen, contact met mij opnemen en een klaarstaand team zou met de vader afrekenen. Maar, zoals je weet, heeft ze geen contact meer opgenomen.'

Dimorf dacht even na, tot Usurpator hem na een paar seconden uit zijn gedachten haalde.

'Ze heeft dus 's middags gebeld en daarna niets meer van zich laten horen. Ik las vanmorgen op internet dat er bij KPN een netwerkstoring was. Misschien kon ze daarom geen contact opnemen om wijzigingen door te geven. Verder was er weinig loos in de rest van het land. Daarom ben ik nog steeds van mening dat we moeten wachten op een reactie. Begrijp me niet verkeerd; ik onderschat niets, maar ik denk dat ze ergens van geschrokken is en zich schuil houdt. Ik weet zeker dat ze contact met ons opneemt, zodra ze de kans krijgt. Als we nog maar héél even geduld hebben.'

Usurpator had kalm en weldoordacht gesproken, waardoor er weer rust onder de mannen was gekomen.

'Ik hoop met heel mijn hart dat je gelijk hebt,' zei Accres. 'Maar kunnen we die gok wagen?'

'Nee.' Dimorf schudde kalm zijn hoofd. 'We kunnen die gok niet wagen. Er staat teveel op het spel. Niet alleen voor ons, maar ook voor de anderen. Die verantwoordelijkheid hebben we nou eenmaal. De stomste fout die we kunnen maken is het onderschatten van deze situatie. Mocht ze onverhoopt toch opgepakt worden, en ze slaat door...' Dimorf laste een kunstmatige stilte in om Accres te irriteren. Daarna vervolgde hij zijn betoog door langzaam en duidelijk te articuleren. 'Dan worden we stuk voor stuk aan de hoogste boom opgeknoopt. Metonymisch gesproken, dan.'

Accres knikte instemmend. 'Ik begrijp wat je bedoelt.'

'Metonymisch gesproken?' Usurpator trok zijn wenkbrauwen op.

'Dus... wat doen we?' Accres keek naar Dimorf.

Toen Usurpator de vragende blik van Accres zag, was de maat vol. 'Ik ben de Vice-president, hij is de adept,' zei hij pissig. 'Als er iemand hier de doorslag mag geven over de beslissing waar je schijnbaar over twijfelt, dan lijkt het me dat ik diegene ben. Tenzij de President ook twijfelt aan mijn capaciteiten en liever zijn tijd verdoet met een chique woordenoorlog met Dimorf, metonymisch gesproken dan.'

Dimorf kon een grijns niet onderdrukken.

'Dat is het niet,' antwoordde Accres met een ernstig gezicht. 'Maar we moeten denken in het belang van het genootschap.'

'Die telefoon waarmee Sylvia contact met je op zou nemen,' vroeg Dimorf ineens, 'heb je die nog?'

'Jazeker,' antwoordde Accres.

'Ik neem aan dat het een ontraceerbare wegwerptelefoon is?'

'Natuurlijk, wat dacht je? Het is een prepaid die met valse gegevens is aangeschaft.'

'Daar moet je jezelf zo snel mogelijk van ontdoen! En eigenlijk had je dat gisternacht al moeten doen. Ik hoop dat het nog niet te laat is.'

Accres kleurde rood. 'Ik zal er meteen voor zorgen.'

Dimorf vervolgde: 'Ik denk dat we het beste een kleinschalig onderzoek in kunnen lassen. Als het nog kan, gaan we eerst maar eens rondkijken in haar woning. Misschien vinden we iets van belang. Daarna nemen we pas de volgende stap. Onze eerste prioriteit is het ontdekken van wat er gisteravond precies is gebeurd.'

'Dat lijkt me een uitstekend plan. Kun je jezelf hierin vinden, Usurpator?' vroeg Accres.

'Ik ben bang dat ik weinig keus heb.'

Accres rechtte zijn rug. 'We kunnen overdag niet meer doen dan het nieuws in de gaten houden en internet afzoeken, maar vanavond ga ik in haar woning op jacht naar aanwijzingen en morgenochtend breng ik hier verslag uit. Zelfde tijd, zelfde plaats. Iemand suggesties?'

'Eentje,' zei Dimorf. 'Met zijn drieën zien we meer dan één en het scheelt enorm in tijd. Ik stel voor dat we alle drie gaan en het hele huis in een paar minuten systematisch uitkammen.'

'Dat is bespottelijk. Mocht er iets gebeuren of iets ernstig misgaan, dan valt de voltallige leiding van het genootschap weg.'

Dimorf bleef hem strak aankijken en wachtte op de voor de hand liggende oplossing. Na een korte stilte trok er een zweem van opluchting over Accres' gezicht.

'Maar je hebt wel een beetje gelijk, daarom stel ik voor dat wij samen gaan en dat Usurpator thuis blijft. Die is per slot van rekening Vice-president.'

'Dat klinkt tenminste logisch,' zei Usurpator, die de doorzichtige sneer negeerde. 'Ik ga akkoord.'

'Dimorf?' vroeg Accres. 'Ga jij ook akkoord?'

Dimorf knikte. 'Akkoord.'

'Ik neem rond de avondschemer contact met je op en dan spreken we ergens af. Dan is deze bijeenkomst nu ten einde.'

De drie mannen stonden zwijgend op en liepen de deur uit.

## HOOFDSTUK 5

De zon had zijn hoogste punt bereikt en schitterde aan een wolkenloze, strakblauwe hemel. Het was kwart voor twee en het kwik raakte de 27°C op de thermometer, toen er een donkerblauwe Opel Astra voor de roodwitte linten parkeerde waarmee de oprit van het vrijstaande huis aan de Zwarteweg was afgezet. Het portier aan de chauffeurszijde zwaaide langzaam open en rechercheur Jim stapte uit. Hij was een grote man van middelbare leeftijd en hij droeg steevast een donkerblauwe pantalon met daarboven een wit overhemd. Jim Nieuwpoort ging er prat op dat hij er altijd netjes en verzorgd uitzag. Met een nors gezicht, dat gegroefd was door zorgen en buitenlucht, speurde hij plichtmatig de omgeving af. Hij kreunde vermoeid toen hij met zijn stijve lichaam onhandig onder de wapperende roodwitte linten door stapte, waarmee een groot gedeelte van de tuin en de gehele oprit was afgezet.

Jim moest altijd even wennen aan een nieuwe plaats delict. Hij zuchtte en krabbelde zich even achter zijn oren. Het leek hier wel een mierenhoop. In en om het huis was het een komen en gaan van geüniformeerd personeel. Zij volgden nauwgezet de instructies die ze hadden gekregen van de rechercheur die de leiding over de plaats van het misdrijf had.

Met tegenzin slofte Jim het terrein op en moest om een kleine, donkerblauwe vrachtwagen met oplegger heen lopen. Op de zijkant van de bak stond met discrete letters PD UNIT. De wagen werd alleen ingezet bij grote misdrijven, dus dit beloofde weer een drukke zaak te worden.

Vlak voordat hij de woning kon betreden, werd hij staande gehouden door een agent. Met het automatisme van een robot viste hij zijn legitimatiebewijs uit zijn broekzak en zwaaide het voor de man zijn neus. Na een vluchtige blik op het plastic kaartje verwees de agent hem naar de eerste verdieping van de woning.

De rechercheur liep zonder de aanwezige agenten te groeten de woning binnen. De enkeling die het waagde om hém te groeten, kreeg meteen een norse blik. Vluchtig bekeek Jim de woonkamer en liep daarna de trap op naar boven.

De Leider plaats delict was op de overloop bezig de meest recente ontdekkingen te noteren in een logboek. Toen er een grote schaduw viel over het vel waarop hij schreef, keek hij geïrriteerd op. Jim moest zich officieel bij deze man melden, om vervolgens in het logboek te worden bijgeschreven.

'Hé, Gerard,' zei Jim toen hij zijn collega herkende. 'Wat hebben we vandaag?'

'Hey Jim,' antwoordde Gerard gespannen. 'We weten nog niet veel. Er zijn twee lichamen gevonden in de hoofdslaapkamer op de eerste verdieping. Het gaat om een man en een vrouw, beiden door geweld om het leven gekomen. We weten dat de man de bewoner van het huis is en Hans Klinkhamer heette. We hebben nog geen zekerheid omtrent de identiteit van de vrouw. Daar wordt nog aan gewerkt. We weten wel dat ze niet hier woont. De fotograaf is al druk bezig, maar het wachten is nog op de lijkschouwer. Hij kan ieder moment hier zijn.'

'Twee volwassen lijken?' merkte Jim opgelucht op. 'Ik zie daar die kinderkamer aan het eind van de gang en vreesde het ergste al.'

'De man heeft een zoon van tien jaar. De zoon wordt nog vermist.'

'Flinke zaak weer.'

'Begin dus maar gauw,' spoorde Gerard hem aan.

Hoofdschuddend liep Jim rechtstreeks naar de kamer waar de meeste activiteit gaande was. In één oogopslag zag Jim het lichaam van de man onder de dekens liggen. Nadat de deken even voor hem werd weggeslagen, bleek het lichaam in een grote, opgedroogde plas bloed te liggen. Zijn armen hingen naast het bed en zweefden boven het levenloze lichaam van een vrouw, dat slechts in een badjas was gehuld. Aan de uitpuilende, bloeddoorlopen ogen te zien, meende Jim wurging te herkennen, maar dit mocht de lijkschouwer straks bevestigen. Er lag een groot mes naast haar op de grond. Dit soort vreemde situaties zag je niet vaak.

'Middag, heren,' groette Jim met chagrijnige stem het drukke team van de technische recherche. Ruim vijftien rechercheurs waren druk doende op de bovenverdieping. Iedereen was bezig in zijn eigen vakgebied. Her en der werd er gepoederd op vingerafdrukken, er waren mensen die minutieus de vloer afspeurden en er was continu geflits van de honderden foto's die van het misdrijf gemaakt werden.

'Goedemiddag, rechercheur,' begroette een jonge rechercheur hem. Zijn bolle gezicht glom van het zweet, terwijl hij de vloer afspeurde naar bewijsmateriaal. Zijn blonde haar zat aan zijn voorhoofd geplakt en in zijn hand hield hij een stapeltje gele bordjes met zwarte cijfers erop. Bij alles dat er afwijkend uitzag, hoe klein of nietszeggend ook, zette hij een bordje voor de fotograaf en de forensische specialisten.

Hoofdschuddend keek de rechercheur hem aan.

'Wat zie je eruit, man!' snauwde Jim. 'Veeg je porem eens af. Je staat al het bewijsmateriaal te verknoeien met je druppelende kop.'

'Sorry, meneer.'

De jonge rechercheur pakte haastig een doorweekte zakdoek uit zijn broekzak en veegde snel zijn gezicht af, waarbij er een paar druppels zweet van zijn gezicht vielen en links en rechts op de vloer uiteen spatten.

'Wat doe je nou, idioot?' beet een andere rechercheur hem kwaad toe.

Jim kreeg een rood hoofd van frustratie. 'Je staat zowat het mes onder te druppelen!' riep hij woest. 'Heb je op Teleac de les bewijsmateriaal beschermen gemist? Als je niet beter kunt opletten, dan sodemieter je maar op. Voor jou tien anderen die hun vak wel verstaan!'

Rood aangelopen verontschuldigde de jonge rechercheur zich en maakte zich haastig uit de voeten.

Vol minachting keek een aantal andere rechercheurs hem na. Jim hoorde hem zachtjes schelden op de trap.

'Wat heb je nou aan die prutsers?' vroeg de verontwaardigde rechercheur aan Jim, die naast hem was komen staan.

'Ik weet het niet,' zei Jim terwijl hij ondertussen beide lijken zorgvuldig bekeek. 'Blijkbaar is het lastig om professionele mensen te krijgen. Over professionele mensen gesproken, is de lijkschouwer er nog niet?'

'Ik ben er! Ik ben er al!' Een kleine man met een grote, grijze snor kwam gehaast de kamer binnen. 'Ik ben een beetje laat, mijn navigatie was stuk en daarom kon ik het hier lastig vinden. Mijn excuses. In ieder geval ben ik er nu. Zal gelijk maar beginnen, het wordt zo te zien een drukke dag vandaag.'

De patholoog anatoom zette zijn koffer naast zich neer en opende deze. In zijn koffer zat een videorecorder waarmee hij eerst een kort filmpje maakte waarop de positie van beide lichamen duidelijk te zien was. Ook filmde hij de blauwe plekken en de striemen in de nek van de vrouw. Vervolgens filmde hij de doorgesneden keel van de man en nam hij de positie van het op de grond liggende mes in beeld. Toen hij daarmee klaar was, borg de lijkschouwer de camera op, knielde voorzichtig naast het vrouwelijke lichaam en bekeek de twee doden aandachtig. Met een sierlijke beweging haalde hij een voicerecorder uit zijn koffer en besprak alle voor de hand liggende zaken in die hij zojuist had gefilmd. De patholoog anatoom zette zijn recorder uit en bestudeerde het levenloze lichaam van de vrouw nog eens aandachtig op sporen.

'Kun je al zeggen hoelang ze dood zijn?' vroeg Jim.

'Als je lief naar me lacht, kan ik je een voorlopige schatting geven,' antwoordde de patholoog en gaf Jim een knipoog.

Jim gaf geen krimp en bleef de lijkschouwer strak aankijken. 'Ik heb morgen parkeerdienst. In welke auto reed je nou, zei je?'

'Oké, oké, met jou valt ook niet te lachen.' De patholoog betastte het gezicht van de vrouw en tilde daarna voorzichtig haar stijve arm iets op.

'Aan de hand van de volledig ingetreden rigor mortis, vermoed ik dat ze ergens tussen negen uur 's avonds en twee uur 's ochtends om het leven is gebracht.' Hij bekeek het mannelijke lichaam en herhaalde dezelfde handelingen. 'Hetzelfde geldt voor de man. Ik kan pas na de officiële lijkschouwing een nauwkeuriger antwoord geven. Ik probeer mijn korte bevindingen binnen zes uur bij je superieuren op het bureau te krijgen. De uitgebreide versie binnen twee dagen.'

Jim knikte, maakte wat notities voor zichzelf en liep bij de lijkschouwer vandaan. Hij wilde nu eerst de kamer van de jongen bekijken.

De slaapkamer was redelijk groot, maar ook donker. De gordijnen waren nog steeds gesloten, dus knipte Jim de verlichting aan. Het eerste wat opviel was het schreeuwerige skateboardbehang, verder was de kamer netjes en schoon. In de lades van zijn bureau lagen alleen wat stripboeken en schoolschriften. Het leek alsof er iemand onder de dekens lag, maar omdat iemand, waarschijnlijk de fotograaf, een punt van de deken had teruggeslagen, zag Jim het knuffeldier.

Hij bukte en keek onder het bed, maar het was te donker om iets te zien, dus sloeg Jim de gordijnen open en keek opnieuw onder het bed. Er lag niets. Zelfs geen stof. In het daglicht zag de kamer er gezellig uit. Hij liep naar het bed en het viel hem op dat iemand zelfs de moeite had genomen om het dier een pyjama aan te trekken. Dat soort details waren belangrijk en veelzeggend. Er waren maar weinig mannen die bij dit soort kleinigheden stil stonden, dus degene die dit gedaan had was waarschijnlijk een vrouw.

Er kwam nog een rechercheur de kamer binnenlopen en even glom er een blik van genegenheid in de ogen van Jim toen hij de typische opgewekte tred van zijn zestigjarige collega en persoonlijke vriend zag. Zijn blonde haar was netjes in een scheiding gekamd en hij keek altijd vrolijk. Zelfs onder deze omstandigheden. Jim knikte naar hem bij wijze van groet en vroeg: 'Henk, weten we al wat meer?'

Zwijgend haalde Henk een lijstje uit zijn jaszak en gaf deze aan Jim, die hardop begon te lezen.

'De auto die buiten staat is van Sylvia van Staveren. De foto komt overeen met het lichaam. Zevenendertig jaar, niet getrouwd, geen kinderen en woonachtig in IJmuiden. De man is Hans Klinkhamer, eigenaar van de woning, tweeënveertig jaar, weduwnaar en directeur van een machinefabriek. Zijn zoontje van tien wordt vermist.'

'Ik ben benieuwd wat zich hier heeft afgespeeld,' vroeg Henk zich hardop af.

'Ik ben benieuwd waar die jongen uithangt,' antwoordde Jim ongemakkelijk.

'Het huis is al helemaal uitgekamd. Hier is hij niet. Er is al iemand naar zijn school.' Henk keek Jim bedenkelijk aan. 'Hij kan zomaar, alsof er niets aan de hand is, naar school zijn gewandeld. We hebben wel gekkere dingen meegemaakt.'

'Dat kun je wel zeggen,' antwoordde Jim. 'Bij ontvoering moeten we hem binnen achtenveertig uur vinden voor de meeste overlevingskans, maar hij kan net zo goed bij de buren zitten. Laat in ieder geval onmiddellijk een Amber Alert uitgaan. Over een uur is de eerste evaluatie met de rest van de teams. Ik ga bij de buren langs en zoek wat kennissen op. Neem jij de naaste familie voor je rekening?'

'Doe ik. Ik spreek je straks.'

Met gemengde gevoelens verliet Jim het huis. Eigenlijk moest hij de pd veel grondiger doorlopen voor aanvullende informatie, maar hij ging liever meteen op pad om aanknopingspunten te vinden. Alle informatie in dat huis kreeg hij vanmiddag of morgenochtend toch in een rapport. Bovendien ging al dat papierwerk hem steeds meer tegen staan. En toch vond hij een nieuwe pd ook wel weer opwindend. Het was alleen jammer dat dit ook zenuwen, lange dagen en stress met zich mee bracht. Die laatste twee waren nog wel te overzien, hoewel hij geen twintig meer was, maar die zenuwen... Juist daardoor werd hij met de jaren onzekerder. In zijn jonge jaren was hij redelijk overtuigd van zijn eigen kunnen, maar tegenwoordig, met iedere nieuwe zaak, voelde hij zich op alle fronten ernstig tekort schieten. Zijn geheugen werd minder, hij zag op tegen verhoren en kon zich steeds vaker niet vinden in de huidige protocollen en nieuwe regelgeving, en dat internet was al helemaal niet aan hem besteed. Wat dat betreft was hij nog te veel van de oude stempel en dat verhinderde hem om met zijn tijd mee te gaan. Hoewel hij dit allemaal van zichzelf wist, kon hij er toch niets aan veranderen.

Geïrriteerd door het feit dat hij nu al liep te piekeren over deze nieuwe zaak, opende hij het portier en stapte in.

De dag was voorbij gevlogen. Dimorf en Accres hadden afgesproken elkaar vlak voor etenstijd in het vervallen schuurtje te ontmoeten. Rond etenstijd hingen de meeste mensen met hun gezicht boven hun aardappelen en dat was een goed moment om in te breken, vond Dimorf. Hij was vroeg en ijsbeerde door de schuur. Af en toe gluurde hij naar het vel papier dat hij al bij binnenkomst op tafel had gelegd. Op het vel stonden systematisch alle belangrijke plaatsen van een huis, waar zich interessante informatie kon bevinden. Bureauladen, kasten, salontafels, onder een matras, zelfs op een koelkast, onder een magneetje. Alle mogelijke vindplaatsen stonden op het vel vermeld. Keurig gerangschikt op volgorde van waarschijnlijkheid.

De deur ging voorzichtig open, waarbij het tengere postuur van Accres zich plots tegen de donkere avondschemer aftekende.

'Blij dat je er bent,' begroette Dimorf hem. 'Heeft Sylvia nog contact met je opgenomen?'

'Nee, dat heeft ze niet gedaan. Maar ik heb wel nieuws. Bij ons thuis zit mijn moeder de hele dag achter de computer. Ik heb haar laten zoeken naar opvallende nieuwsberichten. Ze had een hele rits berichten verzameld, maar de meest opvallende was een bericht over een familiedrama, dat zich heeft voltrokken op de grens tussen Katwijk en Noordwijk. Een man en een vrouw zijn op onduidelijke wijze om het leven gekomen. De twee slachtoffers hadden geen relatie en er was geen kind bij betrokken, maar toch werd het een familiedrama genoemd. Dat viel me op. Misschien is het iets.'

Dimorf knikte traag. 'Het meest interessante en tevens een beetje verontrustend vind ik dat je met je... Hoe oud ben je eigenlijk? Vijfenveertig ofzo? Dat je met je vijfenveertigste nog bij je moeder thuis woont.'

Accres negeerde het toontje en ging onverstoorbaar verder: 'Het kan geen kwaad om dat in ons achterhoofd te houden. Laten we eerst maar eens naar het huis van Sylvia gaan. Eens kijken of we iets kunnen vinden waar we iets aan hebben.'

Ze verlieten het schuurtje en stapten in de witte BMW 1 serie van Accres. In het dashboardkastje lag het adres van Sylvia, dat Accres 's middags had opgezocht in de bescheiden en geheime administratie.

Een klein uurtje later reden ze IJmuiden in, waar Sylvia woonde. Aan de hand van het stratenboek dat Accres in de auto had liggen, bracht Dimorf ze zonder problemen naar de juiste bestemming. De auto werd een paar straten verderop geparkeerd. Ze bleven zitten en speurden eerst secuur de buurt af. Toen ze niets alarmerends zagen, stapten ze op hun hoede uit. Dimorf droeg zo onopvallend mogelijk een kleine koevoet onder zijn arm.

Het huisnummer bleek te horen bij een appartement in een lage flat, omringd door een enorm grasveld. Aangekomen op de juiste verdieping, bleek de deur van de woning verzegeld te zijn met een grote, knalgele zegelsticker van de politie, die half op de deur en half op de sponning was geplakt. De deuropening was met een groot kruis van gespannen roodwitte linten afgezet. Ze hadden geluk. Het slot op de deur was onherstelbaar beschadigd en zou ongetwijfeld binnenkort vervangen moeten worden, maar op het moment hield alleen de sticker de deur op zijn plek.

Toen ze er zeker van waren dat niemand ze in de gaten hield, haalde Dimorf de koevoet langs de vouw in de sticker en duwde tegen de deur. Zacht piepend zwaaide deze open. Ze keken nog één keer om zich heen, voordat ze voorzichtig tussen de linten doorstapten. Hoewel de koevoet verder nutteloos was, wilde Dimorf hem nergens neerleggen, uit angst dat hij hem straks zou vergeten. Als een wapen hield hij de koevoet voor zich uit.

Sylvia woonde in een nette driekamerappartement dat vooral opviel door het moderne interieur. Strak zwart gecombineerd met wit leer en glas. Niet echt een huis dat warmte uitstraalde.

Ze stonden in een brede hal die werd opgesierd door een aquarium met tropische vissen. De vrolijk gekleurde vissen waren de enige kleuren in de woning. Voorzichtig betraden ze de woonkamer en begonnen direct met hun zoektocht. Ze droegen latex handschoenen om vingerafdrukken te voorkomen.

Dimorf liep naar een zwart bureau en trok de laden één voor één open, terwijl hij zorgvuldig de inhoud controleerde. Accres bekeek een dressoir en ontdekte nog een paar zeldzame kleuren.

Op het dressoir stonden drie fotolijstjes. Accres bekeek de lijstjes, maar herkende niets op de foto's. Op de linkerfoto stond Sylvia alleen voor de voet van de Eiffeltoren en op de rechterfoto stond ze op de Chinese muur, die schitterend doorliep in de groene achtergrond. Op de middelste foto stond ze als klein meisje op een brug, met een ouder echtpaar aan weerszijden.

Accres liet het dressoir voor wat het was en liep naar het bankstel. Hij haalde het tevergeefs overhoop en legde de kussens daarna weer terug. Samen struinden ze op die manier de hele woonkamer af, maar ze konden niets vinden dat hen verder zou kunnen helpen.

Accres zuchtte en haalde de lijst van Dimorf uit zijn broekzak tevoorschijn. Geconcentreerd nam hij de lijst in zich op en vervolgde toen zijn speurtocht in de slaapkamer. Dimorf liep de keuken in en inspecteerde deze totdat hij Accres een hoog gilletje van schrik hoorde geven. Hij rende vlug naar de slaapkamer en trof Accres met een walgende blik aan. Een laatje van het nachtkastje stond open. Dimorf keek vluchtig in de la en zag een paarse vibrator liggen. Verbaasd, maar geërgerd keek hij Accres aan.

'Dat meen je niet!' fluisterde hij venijnig. 'Met dat homofiele gilletje verraad je ons bijna en dat alleen door dat paarse ding?'

'Wat is dat voor een vrouw?' fluisterde Accres geschokt terug.

'Een Hollandse.' Dimorf haalde ongeïnteresseerd zijn schouders op. 'Het wordt tijd dat je op jezelf gaat.' Toen verscheen er een grijns op zijn gezicht. Hij kon het niet laten. 'Bij je moeder ligt er waarschijnlijk ook één in haar nachtkastje. Kijk maar eens.'

'Absoluut niet!' Accres schudde verontwaardigd zijn hoofd.

Dimorf wierp een laatste blik in de la en liep weg. Met een schok kwam hij tot stilstand toen hij zich realiseerde dat hij iets gezien had. Langzaam draaide hij zich om.

'Wat is er?' fluisterde Accres nieuwsgierig.

'Dat weet ik nog niet.' Hij bukte voorover en duwde de vibrator iets opzij, zonder op de blik van Accres te letten.

Half onder de vibrator lag een notitieblok. Zijn blik gleed over de lege vellen en viel toen op de oude krant die naast het nachtkastje op de grond lag. Er was een kleine cirkel om één van de advertenties getrokken.

'Oppas gevraagd,' mompelde Dimorf.

Hij legde de krant op het bed en haalde het notitieblok uit de la. Zorgvuldig bestudeerde hij het bovenste velletje.

'Het is een leeg vel,' merkte Accres op.

'Dat lijkt maar zo. Let op en leer.'

Dimorf liep naar het bureau in de woonkamer en kwam terug met een potlood. Hij hield het potlood bijna plat op het papier en veegde met de platte kant van het grafiet over het notitieblok. Het hele vel kleurde grijs.

'Waar ben je nou mee bezig? Wat zie je?' mompelde Accres ongeduldig.

Dimorf duwde het blok onder zijn neus.

'De letters zijn zichtbaar!' Accres klonk net iets te enthousiast.

Dimorf schudde vermoeid zijn hoofd. 'Alsof je bij een kleuter een kwartje uit zijn oor tovert.'

'Hoe deed je dat nou?'

'Gewoon gebruik maken van de doorgedrukte letters. Niets ingewikkelds aan.'

'Indrukwekkend.'

'Ooit eens in Columbo gezien. Dit lijkt me de afgesproken tijd te zijn, samen met het adres uit de advertentie.'

'Acht uur, Zwarteweg,' mompelde Accres nog steeds onder de indruk.

'Dit is in ieder geval iets,' fluisterde Dimorf. 'Als we er nu nog achter kunnen komen waar ze de jongen heeft ondergebracht...' Hij doorzocht grondig de slaapkamer, probeerde niets overhoop te halen, terwijl Accres met zijn handen op zijn rug achter hem aan liep en geïnteresseerd al zijn bewegingen volgde.

'Wat doe je nou?' zei Dimorf.

'Ik kijk even hoe jij dat aanpakt.'

'Als een debiel achter me aanhuppelen helpt niet erg. Ga de woonkamer nog eens doorzoeken. Misschien hebben we iets gemist.'

'Oké.'

Nog steeds met zijn handen op zijn rug liep Accres de slaapkamer uit. Dimorf keek hem hoofdschuddend na. Het irriteerde hem mateloos dat er nergens in huis iets te vinden was over de verblijfplaats van de jongen. En hij ergerde zich aan Accres. Achteraf had hij beter met Usurpator hierheen kunnen gaan. Aan die vent had je tenminste nog iets.

Uit de woonkamer klonk een bons. Accres had vast iets omgegooid.

'Wat doe je?' vroeg Dimorf.

'Ik liep per ongeluk tegen de salontafel aan. Geen zorgen, ik heb niets.'

'Dat kun je wel zeggen, ja,' zei Dimorf zacht. 'We houden er mee op! Langer zoeken wordt onverantwoord en we hebben toch nog iets gevonden waar we iets mee kunnen. Nu snel weg hier!'

Dimorf liep door de woonkamer naar de voordeur, op de voet gevolgd door Accres. Plots stond Dimorf stil en keek bedachtzaam om zich heen.

'Het lijkt wel of er iets veranderd is. Heb je iets verzet, of zo?' vroeg Dimorf dreigend.

'Nee, ik heb niets verzet. Ik wil ons toch niet verraden! Bovendien, hoe kun je dat nu weten? Je komt hier toch voor het eerst?'

'Ik heb een scherp oog voor details. Altijd al gehad. Er is iets veranderd, ik weet alleen niet wat.' Dimorf keek nog steeds speurend om zich heen.

'Ik heb niets verzet.'

Hoewel het Dimorf niet lekker zat, verlieten ze beiden het huis en liepen zo onopvallend mogelijk naar de auto. Dimorf hield het notitieblok krampachtig vast. Ze waren pas weer op hun gemak toen de koevoet weer in de kofferbak lag en ze de motor hoorden aanslaan. In zijn haast om weg te komen, liet Accres de koppeling te vlug opkomen. De auto kwam schokkend in beweging, maar sloeg tot hun grote opluchting niet af.

Het was pikkedonker in de bunker. Jack zat op de grond met zijn rug tegen de muur. Hij kon niet slapen. Hoog in de lucht zag hij de sterren door het getraliede raam. Om de tijd te doden, probeerde hij de grote beer te ontdekken, waar hij weleens over had gehoord, maar ondanks de enorme hoeveelheid oplichtende stipjes, was er geen enkel groepje dat ook maar een klein beetje aan een beer deed denken. Hij had wel een aantal sterren gezien die samen op een soort steelpannetje leken. Ook leuk, maar niet wat hij zocht.

Na een tijdje zo naar de sterren gestaard te hebben, werd de kou, die langzaam de weg langs zijn ruggengraat omhoog vond, te pijnlijk. Jack legde zijn hand op het vochtige beton en voelde dat het steenkoud was geworden. Hij kreunde toen hij zijn verkleumde ledematen moest strekken. Hij kon maar beter een bed van zand gaan maken, zodat de ergste kou zou worden tegengehouden. Omdat hij niet op handen en knieën over de koude vloer wilde dweilen, veegde hij met de zijkant van zijn schoenen zoveel mogelijk zand naar het midden van zijn cel.

Tijdens het vegen dwaalden zijn gedachten af naar wat hij vandaag allemaal had gedaan om de tijd door te komen. De dag was zo langzaam voorbij gegleden, dat het leek alsof er geen eind aan zou komen. Hij was bijna dankbaar geweest toen het toch nog donker was geworden, zodat hij de tweede kaars kon aansteken en weer iets anders te doen had. Er was er nu nog één over. Omdat hij echt niet in het donker wilde zitten, realiseerde hij zich dat hij zuiniger met de lichtbronnen moest omspringen. Daarom had hij besloten de zaklamp nog niet te gebruiken en te bewaren voor het laatst.

De auto met de zware motor had hij jammer genoeg niet meer gehoord. De meeste tijd had hij vandaag besteed aan de honderden rondjes die hij gelopen had, tot hij duizelig was geworden en het had opgegeven. Als beloning dat hij zichzelf zo lekker bezig kon houden, had hij zich de crackers gegund en gulzig had hij ze in recordtijd allemaal opgegeten. Maar de honger bleef toch knagen. De andere helft van de fles water had hij gebruikt om de dorst te lessen, die hij van de droge crackertjes had gekregen. De rest van de dag had hij op dezelfde plek als daarnet met zijn rug tegen de muur gezeten en stil voor zich uitgestaard. Daar had hij heel veel aan zijn vader gedacht. Hij miste hem enorm.

Het hoogtepunt van de dag was toen hij even kon opstaan om zijn billen te masseren, zodat er weer wat bloed naar zijn zitvlees stroomde.

Met een voldaan gevoel keek Jack naar de hoop zand die hij in het midden bij elkaar geveegd had. Zachtjes zakte hij door zijn knieën, draaide zich om en zakte achterover. Er lag een harde bult zand in zijn rug en het lag eigenlijk allesbehalve comfortabel. Hij begon wild te draaien en nestelde zich zo, dat het zand helemaal naar zijn lichaam gevormd werd. Dit was wel uit te houden. Het enige dat hij nog miste was een deken. Het was jammer dat hij gisteravond zonder jas naar buiten was gegaan, maar hij had in ieder geval zijn trui nog. Dat was beter dan niets.

Jack geeuwde toen hij weer overeind kwam. Ondanks de saaie dag kwam onverwacht toch de slaap nog opzetten. Hij liep naar de tas, haalde als avondeten de cake uit de folie en brak er een stuk vanaf. Dat was geen goed idee. Er vielen veel te veel kruimels en brokjes cake op de grond en in het zand, waardoor ze niet meer te eten waren. De volgende keer zou hij maar van de cake zelf happen. Jack bekeek wat er nog was overgebleven: een kwart cake, vier sneetjes brood met chocoladepasta, ongeveer anderhalve kaars en nog één fles water. Dat was niet veel. Het was niet normaal hoe dorstig hij was, dus nam hij nog een paar grote slokken van het water. Er was nu nog maar driekwart van de fles over. Het liefst had hij de hele fles leeggedronken, maar hij moest zuinig zijn.

Jack legde de rest van de spullen opzij, nestelde zich opnieuw in het zand en luisterde naar de avondgeluiden. Er waren nog geen rare geluiden te horen. Gerustgesteld blies hij de kaars uit. Met de troostende gedachte dat hij morgen toch echt gevonden zou worden, viel Jack in het zand in slaap.

# De derde dag

.

## HOOFDSTUK 6

De volgende ochtend was Jim vroeg op het bureau. Hij liep naar zijn kantoor en wond zichzelf al op bij het idee dat er misschien nog steeds geen voorlopig autopsierapport op zijn bureau zou liggen. De opluchting viel van zijn gezicht te lezen toen er een bekende plastic map op zijn bureau lag. Met grote, blauwe blokletters was er "kopie" op gestempeld. Hij begon aandachtig het rapport te lezen, terwijl hij de voor hem belangrijkste gegevens nog eens op een kladje onder elkaar zette.

De deur van Jims kantoor zwaaide open. Zonder op te kijken had Jim, aan het geluid van de eerste stappen, al de bijzondere tred van Henk herkend. Er was iets aan de manier waarop hij zijn voeten optilde: bij iedere stap leek Henk op te veren. In zijn handen hield hij twee bekers met koffie, waarvan de geur Jim sneller bereikte dan de man zelf. Zwijgend liep Henk naar het bureau waar Jim aan zat, zette beide bekers koffie voor zich neer en plofte in de stoel die aan de andere kant van het bureau stond. Henk schoof één van de bekers koffie naar Jim. Door het schuivende geluid keek Jim voor het eerst op. Zwijgend nam hij de beker koffie over. In ruil daarvoor schoof Jim met zijn andere hand het autopsierapport naar de overkant.

'Ik heb het al gelezen,' reageerde de man.

'Dan was je vroeg uit de veren,' zei Jim.

'Zeg dat wel. Ben je gisteren nog iets te weten gekomen?'

'Nee, de verhoren leverden niets op. Personeel en vrienden vonden hem een vriendelijke, oprechte man. Ze liepen allemaal met hem weg, maar niemand kende hem goed genoeg om zeker te kunnen weten of Hans een vriendin had. Het meest teleurstellende was dat niemand een idee had waar zijn zoon Jack kon zijn.'

'Dat is jammer,' zei Henk.

'En zonde van de tijd. Heeft het Amber Alert nog iets opgeleverd?'

'Ook niets.'

'Jammer. Wat heb jij vanmorgen allemaal gedaan?'

'De officier van Justitie wilde een nationale televisieoproep om de jongen te vinden. Ik ben net klaar. Ze zenden het vandaag een aantal keer uit en er wordt een banner van gemaakt die op Facebook en dat soort sites draait. Hopelijk levert dat dan iets op.'

'Internet, het zal mij benieuwen. Ik sta er altijd weer van te kijken dat niemand iets gezien of gehoord heeft.'

'Nou ja, de huizen staan daar ook redelijk ver van elkaar. Ik heb gisteravond nog een samenvatting van de briefing gemaakt. Je was zo snel weg daarna.'

'Ik ergerde me rot dat de spaarzame aanwijzingen die we hadden allemaal doodliepen. Geef die samenvatting eens. Misschien schiet me iets te binnen.'

'Luister maar. Hans Klinkhamer was die bewuste avond om kwart voor negen op Schiphol. Dat weten we dankzij de videobeelden van de luchthaven en de verklaring van zijn ouders, die hij daar heeft opgehaald. Om dat te kunnen doen, had hij een oppas geregeld. Die Sylvia van Staveren, dus. Ze had gereageerd op een advertentie uit de krant. Volgens zijn ouders was dit de eerste keer dat ze oppaste op Jack, zijn zoon. Hij heeft zijn ouders om tien over half tien afgezet bij hun huis en is meteen terug naar zijn eigen huis gereden. Als je normaal rijdt duurt die rit ongeveer zeven minuten. Dat is allemaal gecheckt en bevestigd, vanaf nu wordt het giswerk.'

'Is er nog andere familie ontdekt? Ik bedoel, misschien is de jongen naar zijn lievelingsoom of tante gevlucht?'

'Alleen de ouders van de man leven nog en daar is hij niet. Verder zijn er geen broers of zussen. Zoals je weet was in de slaapkamer van de jongen zijn bed met een pluche knuffel opgevuld.'

'Ja, die zal wel voor de jongen door hebben moeten gaan.'

'Mijn idee. Dat betekent dat hij dus al weg was toen meneer Klinkhamer thuiskwam. Dan weten we ongeveer hoe laat hij is ontvoerd.'

'Tussen kwart over acht en kwart voor tien,' zei Jim peinzend.

'Onder het tweepersoonsbed zijn de kleren van de vrouw gevonden. Een rode jurk, één paar rode pumps en een kapotte panty.'

Even viel er een stilte.

'Dat is natuurlijk al heel apart,' zei Jim.

'Precies. Welke kinderoppas draagt er geen lingerie?'

'Ik ken ze niet. Heel eigenaardig. En zij en Hans kenden elkaar alleen van die advertentie?'

'Voor zover we weten.'

'Dan kunnen we er wel vanuit gaan dat ze ergens op uit was.'

'Dat lijkt mij ook.'

'Handtasje?'

'Niets gevonden.'

'Ook heel vreemd.'

Henk keek op de klok en schrok van de tijd. 'Ik kwam je eigenlijk halen voor de nieuwe briefing, niet voor een ouwehoerpraatje,' herinnerde hij zich. 'Hopelijk hebben die gasten van de technische recherche nog iets zinnigs ontdekt.'

'Laten we het hopen.'

'Ja, van ons moeten ze het niet hebben.' Henk schoot in de lach. Ze stonden tegelijk op en liepen het kantoor uit naar de vergaderruimte.

Al vroeg die ochtend werd Jack wakker van de kramp in zijn maag. Zijn hoofd en nek deden ook al zo'n pijn. In de bunker was het al warm en zelfs wat benauwd. Voorzichtig probeerde hij overeind te komen. Door spierpijn, die in zijn hele lichaam leek te zitten, duurde het even voordat hij op zijn voeten stond.

Verwonderd keek hij de bunker rond. Er was buiten iets vreemds aan de hand. Het duurde even voordat hij het door had, maar er was niet één vogel te horen. Er was niets dan een onheilspellende stilte. Door zijn tralies heen zag hij het grauwe, grijze wolkendek dat dreigend in de lucht hing. Zijn tijdsbesef was een dag eerder al gestopt, maar toch voelde het te donker aan voor dit moment van de dag. Bovendien rook de lucht anders. De geur was heerlijk, maar de donkere lucht voorspelde niet veel goeds.

Jack voelde zijn maag knorren, zo luid dat hij hem nu zelfs kon horen. Hij probeerde te slikken, maar doordat zijn mond zo droog was, deed zelfs dat pijn. De tas stond buiten handbereik. Met tegenzin liep hij een paar stappen en voelde het protest van zijn verkleumde lichaam. Ineens werd hij duizelig. De bunker begon om hem heen te draaien en even wankelde hij. Jack sloot zijn ogen en wachtte. Na een paar tellen opende hij ze weer en alles stond weer stil, zoals het hoorde. Zijn maag verkrampte. Hij had zo'n honger. Voorzichtig liep hij naar de tas en haalde de vier sneetjes brood met chocoladepasta eruit. Met een vies gezicht maakte hij het plastic boterhamzakje open en haalde er een sneetje uit.

De eerste hap chocolade was ronduit goor. Het hielp ook niet dat de dubbele boterhammen intussen oud en droog waren geworden, maar het was beter dan niets. Hij probeerde te slikken, maar kreeg de hap brood niet weg. Hij haalde de laatste fles water uit de tas. Met het sneetje nog in de hand draaide hij de dop van de fles en nam een slok water om het brood weg te spoelen. Dat lukte. Toen hij eindelijk de hap kon wegslikken, viel hem meteen nog een andere vieze smaak op. Verbaasd door deze vreemde, gronderige smaak nam hij gauw nog een slok en bestudeerde toen het brood in zijn hand. De onderkant van de boterham was voor de helft beschimmeld. Van schrik liet hij het sneetje uit zijn hand vallen en schrok toen daar weer van. Op de halve cake na, had hij niets anders meer dan die beschimmelde boterhammen. Tranen brandden in zijn ooghoeken. Nijdig knipperde hij de tranen weg en dacht na over zijn benarde situatie. Hij kon zich niet herinneren dat hij ooit gehoord had over mensen die waren overleden door het eten van beschimmeld brood.

Opnieuw gromde zijn maag, Jack kromp ineen.

Beteuterd keek Jack naar het brood op de grond en besloot dat je beter slecht brood kon eten dan verhongeren. Hij stond verbaasd van zijn eigen beslissing toen hij het sneetje weer opraapte. Zonder het aangekleefde zand eraf te kloppen nam hij een hap. Toen nog één en daarna nog één. Toen het brood op was, nam hij weer een paar slokken water en spoelde de smerige smaak uit zijn mond. Hoewel het brood minder vies smaakte dan hij had verwacht, dacht hij er liever niet te lang over na en nam het volgende sneetje. Dat at hij in één keer op. Binnen een kwartier had hij de vier beschimmelde sneetjes brood met chocoladepasta op en was zijn ergste honger voor even gestild. Met een paar flinke slokken water spoelde hij de restanten weg, die aan zijn gehemelte en tanden waren blijven kleven. Bezorgd keek Jack naar de bijna lege fles water.

Plots werd zijn aandacht getrokken door de wind, die vanuit het niets zachtjes door de tralies begon te fluiten. Jack zag nog net boven zijn hoofd het waterige zonnetje wegvluchten achter een dikke wolk. De bunker werd binnen nog donkerder en buiten klonk een zacht getik, dat vlug aanzwol tot een hevige, zomerse regenbui.

'Water!' riep zijn schorre stem enthousiast.

Jack keek hoopvol naar de tralies in het raam boven hem. Het was maar een klein stukje hoger dan hij. Dat redde hij vast wel. De tralies waren in boter-kaas-en-eieren vorm. Daar kreeg hij vast de fles wel doorheen.

Hij pakte een lege fles van de grond, liep naar het raam en hief zijn arm boven zijn hoofd. De fles paste makkelijk door de tralies. Met gestrekte arm hield hij de open fles boven zijn hoofd in de stromende regen. Dat hield hij een paar minuten vol, waarna hij de fles voorzichtig weer naar binnen haalde. Verwachtingsvol keek Jack naar de inhoud van de fles en constateerde teleurgesteld dat er slechts een klein bodempje water in zat.

Jack probeerde het nog een keer, maar langer dan vijf minuten hield hij het echt niet vol. Hij wreef over zijn vermoeide arm. Het raam zat net te hoog. Hij moest iets anders verzinnen.

De fles wisselde van arm en verdween opnieuw achter de tralies. Nu bewoog hij zijn arm in de regen heen en weer om maar zoveel mogelijk druppels op te vangen. Dit was helemaal niet vol te houden en al na één minuut haalde hij zijn arm naar binnen en keek gespannen naar het resultaat. Er was geen verschil. Er zat nog net zoveel in als ervoor. Het leek wel alsof hij alle druppels had ontweken. Dat kon toch niet?

'Waarom lukt het nou niet?' mopperde Jack hardop en dronk gulzig het bodempje regenwater op. Terwijl hij de fles op zijn kop in de lucht hield om zelfs het laatste druppeltje op te drinken, gleed er een druppel water in zijn hals. Jack schrok zich rot en liet abrupt de fles zakken. Hij keek naar het plafond en zocht de plek waar de druppel vandaan kwam. Maar het dak lekte niet. Het was kurkdroog. Toen staarde hij omlaag en zag een klein plasje water in het zand op de grond. Jack deed een stap opzij en weer vielen er druppels water naast hem. Verbaasd keek hij naar de mouw van zijn trui. Die was doorweekt en nog steeds druppelde er water uit de mouw. Jack zette de fles op de grond en wrong zijn mouw uit boven de fles. Een dun straaltje water liep uit de mouw, precies in de fles.

Hij twijfelde geen moment en trok zijn trui uit, maakte er een bundeltje van en hield hem uit het raam in de stromende regen. De trui werd vlug zwaarder, maar Jack wilde niet opgeven en hield zijn arm zolang mogelijk uit de getraliede opening. Tot de trui te zwaar werd en zijn arm begon te trillen. Nu moest hij hem snel binnen halen, anders zou hij hem laten vallen.

Jack trok zijn vermoeide arm voorzichtig terug en haalde de trui binnen. Van buiten was de trui doorweekt, maar van binnen was deze nog kurkdroog. Met de grootste voorzichtigheid kneep hij de trui boven de fles leeg. In kleine straaltjes kwam het meeste in de fles terecht. Toen er echt geen druppel meer uit de trui gewrongen kon worden, bleek er toch een aardig bodempje in de fles te zitten, waardoor Jack meteen weer goede moed kreeg.

Dit keer maakte hij geen bundeltje van zijn trui, maar propte hij hem opengeslagen door de tralies heen. De trui hing buiten en raakte vlug doorweekt. Hij nam veel meer vocht op dan daarnet, waardoor de trui nog zwaarder werd. Na een aantal minuten werden Jacks vingers gevoelloos en dreigde zijn greep te verslappen. Om vallen te voorkomen, trok hij vlug de trui naar binnen, maar deze bleef hangen achter de tralies en de natte stof glipte uit zijn handen. Met een doffe plof viel de trui buiten in het natte zand.

'Kut!'

Jack schrok van zijn reactie, er verscheen meteen een zachtroze blos op zijn wangen. Zijn vader had er een enorme hekel aan wanneer hij zulke woorden zei. Soms gebeurde dat per ongeluk. Zoals nu. Zijn vader zei steevast dat het door Pieter en Willem kwam, zijn vriendjes. In Jacks hoofd klonk de stem van zijn vader: "Die gastjes vloeken en schelden als bootwerkers. Ik snap niet dat die ouders daar niets van zeggen." Jack grinnikte. Hij realiseerde zich voor het eerst dat zijn vader gelijk had. Pieter en Willem liepen inderdaad de hele dag door te schelden. Op alles, iedereen en op elkaar. Dat vonden ze stoer. Meteen hoorde Jack de stem van zijn vader weer, die nu vermanend zei: "Stoer? Het is pas stoer wanneer je je frustraties zonder schuttingtaal kunt uiten." Zijn vader was inderdaad best stoer, dus vanaf nu zou hij dat soort dingen echt niet meer proberen te zeggen.

Jack schoot in de lach. Dat zou wat wezen, zul je net zien; hij staat hier een partij te vloeken en te tieren, en ineens staat zijn vader voor zijn neus om hem te redden. Dat zou het moment aardig verpesten. Eindelijk gered, meteen een draai om mijn oren te pakken. Voor de laatste keer grinnikte Jack. Hij zou proberen niet meer te schelden. Nu echt.

Langzaam drong de realiteit weer tot hem door. Aangezien hij nu geen trui meer had, moest hij iets anders verzinnen. Of niet… Met tegenzin trok Jack zijn laatste bovenkleding uit. Als hij zijn T-shirt ook zou laten vallen, dan had hij helemaal geen bovenkleding meer. Hij had weinig zin om de stikkoude nachten met zijn blote bovenlijf in het nog koudere zand te moeten doorbrengen. Hij twijfelde en keek naar de regen, die buiten luidruchtig op de bladeren kletterde. Hij had echt enorme dorst, dus moest het shirt wel uit.

Na een tijdje kneep hij het doorweekte kledingstuk uit. Er kwam een aardige bodem in de fles, met dit shirt ging het eigenlijk nog beter dan met de trui.

'Fijn om te weten dat mijn zeiknatte trui blijkbaar voor niets aan de verkeerde kant van de muur terecht is gekomen,' mompelde Jack. Hij hing zijn shirt weer buiten en herhaalde het proces geduldig tot de hele fles gevuld was. De regen werd steeds minder. Jack vond het wel genoeg zo en hij gooide zijn shirt over de tralies, zodat het niet onder het zand zou komen te zitten. Later kon hij hem in de zon drogen. Als de zon ooit nog zou gaan schijnen, maar daar ging hij gemakshalve maar van uit.

Gulzig dronk hij de fles half leeg. Het water smaakte heerlijk. Buiten begon het steeds zachter te regenen. Toen de hevige bui voorbij was, vulde de bunker zich met de heerlijke, rustgevende geur die vanzelf ontstaat na een regenbui en die in de vrije natuur nog lekkerder ruikt dan op andere plaatsen.

De briefing had dit keer weinig nieuws opgeleverd. Er waren wel een aantal sporen gevonden, die door forensisch specialisten onderzocht werden, maar de resultaten waren nog niet binnen. Ook de patholoog anatoom had een aantal verdachte krassen en schaafwonden op de lichamen gevonden, die voor zowel forensisch, als toxicologisch onderzoek waren opgestuurd naar een laboratorium. De Leider van het onderzoek had de uitslagen voor de lopende onderzoeken nog niet ontvangen. Hij zou druk gaan uitoefenen, maar wist, net als de rest van het aanwezige team, dat de onderzoeken al met voorrang behandeld werden en dat zeuren om uitslagen geen enkel resultaat zou opleveren.

Na de tegenvallende berichten van het gezamenlijke overleg, was Jim weer op pad gegaan. Hij wilde zelf nog eens met de ouders van Hans Klinkhamer praten. Misschien was hen achteraf nog iets te binnen geschoten. Dat was niet ongewoon in zulke gevallen. Vanuit de auto had hij contact met ze opgenomen om zich aan te kondigen en om er zeker van te zijn dat ze thuis waren.

Jim stapte uit bij een rijtjeshuis, waarvan de muren uit gele bakstenen opgetrokken waren. De huizen hadden knalrode daken en kleine voortuintjes. In het midden van het smalle straatje waar aan weerszijden huizen stonden, werden beide rijrichtingen gescheiden door een plantsoentje met gras en bomen, wat de straat een vriendelijk en dorps karakter gaf.

Jim belde aan, een oudere dame opende de deur. Ze zag er hol en gebroken uit en onder haar ogen hingen grote, grijze wallen. Ze begroette Jim koeltjes, waarna ze hem uitnodigde om binnen te komen.

'U bent waarschijnlijk Nieuwpoort?' vroeg ze al in de gang.

Jim haalde zijn identificatiemapje uit zijn kontzak, klapte hem open en liet haar de recherchepenning en de pas die eronder zat, zien. Op hetzelfde moment gleed het pasje uit de map en viel op de grond. Jim verontschuldigde zich en raapte het pasje op. Hij baalde. Dit zag er weer lekker onhandig uit. Hij gaf het pasje aan de vrouw en bekeek het mapje om te achterhalen waarom de pas eruit was gevallen. De plastic beschermhoes was gescheurd, daar moest hij binnenkort dus een nieuwe voor halen. Alsof hij het nog niet druk genoeg had.

'Hoofdrechercheur Nieuwpoort. Noem me maar Jim.'

De vrouw gaf de pas terug, waarna hij hem los in zijn jaszak stak.

'Ik ben Annie en mijn man heet Jasper,' vertelde ze terwijl ze samen de woonkamer binnenliepen. 'Weten jullie al waar onze kleinzoon is?'

Een vermoeide, oude man schrok overeind en deed een vergeefse poging om van de bank op te staan.

'Blijft u maar zitten,' zei Jim. Hij gaf de man vlug een hand en stelde zich opnieuw voor.

'Er hebben zich nog geen nieuwe ontwikkelingen voorgedaan,' vertelde Jim. 'We zijn nog druk bezig met het sporenonderzoek. Er zijn meer dan tachtig politieambtenaren met de zaak bezig, waaronder een groot aantal specialisten. We hebben het onderzoek in fasen verdeeld en houden veel tussentijdse evaluaties om tunnelvisie te voorkomen. We doen alles wat in onze macht ligt om Jack zo snel mogelijk te vinden.'

'Oh, dat is jammer. We hadden gedacht dat u inmiddels al verder zou zijn.'

'Dat zouden we zelf ook graag willen. Ik weet dat u gisteren alles al aan mijn collega hebt verteld, maar vaak blijkt dat er uren later toch details naar boven komen, die u in eerste instantie onbelangrijk leken. Als er nog iets is wat u me kunt vertellen over uw kleinzoon of uw zoon, hoe klein en onbelangrijk het ook mag lijken, dan hoor ik het graag.'

'Ik heb echt alles al verteld. Jack is heel bijdehand,' zei het vrouwtje nog maar eens. 'En erg slim voor z'n leeftijd. Het enige dat ik misschien niet verteld heb, is dat Hans wel erg graag naar huis wilde. Eerst dacht ik dat hij gewoon naar Jack wilde, maar later ging ik twijfelen. Misschien haastte hij zich ook om de oppas weer te zien? Hij was vol lof over haar en meestal is hij niet zo enthousiast over andere mensen. Andere vrouwen, bedoel ik.'

De mobiele telefoon die Jim in zijn zak had zitten liet de Nokia tune horen. 'Het spijt me, maar deze moet ik nemen,' zei Jim en draaide zich om voor wat privacy.

'Jim Nieuwpoort.'

'Hé, Jim, met Henk. Stoor ik?'

'Nauwelijks. Wat is er?'

'Het forensisch onderzoek heeft streekgebonden zand ontdekt en een poeder.'

'En de minerale samenstelling van dat zand?'

'Het klinkt beter dan het is. Het gaat om fijn duinzand en dat poeder bleek cementstof.'

'Nog niets van toxicologie?'

'Nog niets. Die cementstof wordt nog onderzocht om te zien of ze kunnen achterhalen van wat voor soort beton het afkomstig is. Daar schijnt nogal veel onderling verschil in te zitten.'

'Misschien hebben we er iets aan.'

'Daarom. Ik dacht dat je dit wel zo snel mogelijk wilde weten.'

'Ik ben over een half uur op het bureau om te brainstormen. Bedankt.'

Jim draaide zich om, terwijl hij de telefoon in zijn zak terug liet glijden.

'Dat was m'n collega. Hebt u een moment?'

Hij pakte een notitieblokje en een pen uit zijn borstzak en schreef een aantal zinnen op. Annie Klinkhamer strekte zich en probeerde over zijn handen op het notitieblokje te kijken.

'Fijn duinzand en cementstof?' las ze hardop de enige woorden die ze kon lezen. 'Is dat een aanwijzing?' vroeg ze meteen. 'Waar is dat gevonden? Kan Jack daar zijn?'

'Dat zou kunnen,' antwoordde Jim, terwijl hij de aantekeningen meteen terug in zijn zak liet glijden. Hij vond het vervelend als andere mensen zo op zijn vingers keken. 'Maar daar kan ik nu nog niets zinnigs over zeggen. U hebt geen enkel vermoeden waar uw kleinzoon nu zou kunnen zijn?'

'Zou ik hier nog zitten wachten als ik dat wist?' antwoordde ze vinnig.

'Ik bedoel of u misschien nieuwe of onbekende kennissen of vrienden kent. Misschien heeft uw kleinzoon wel een uitvalsbasis waarvan u op de hoogte bent?'

'Oh, het spijt me. Nee, ik zou niet weten waar Jack zou kunnen zijn.'

'Ik begrijp het. Het geeft niets. We doen ons uiterste best om hem zo snel mogelijk te vinden.'

Jim zag dat Annie nog meer op haar hart had. Die onzekere blik had hij in de loop der jaren wel leren herkennen. Ze was moed aan het verzamelen en dat was meestal geen goed teken. 'Zeg het maar, mevrouw Klinkhamer.'

'Ik wil niet eigenwijs zijn en ik weet dat jullie het ons afraden, dat zei die rechercheur van gisteren ook al, maar mijn man en ik willen toch graag een beloning uitloven voor degene die Jack bij ons terug brengt of weet waar hij nu uithangt.' Haar ogen ankerden zich vast in die van Jim.

Dit was het stomste dat ze konden doen. Als ze dit zouden doorzetten, dan hadden ze morgen iedere dorpsgek uit Zuid-Holland aan de lijn.

'Daar heb ik niets over gehoord. Het idee is goed, maar de timing is nog niet perfect. De rechercheur van gister zal jullie vast hetzelfde verteld hebben, maar wanneer we nu al met een beloning op de proppen komen, krijgen we een hele nieuwe stroom tips binnen, die we allemaal moeten uitzoeken en controleren en waarvan eigenlijk alles waardeloos zal blijken te zijn.'

'Dat is ons verteld, maar we begrijpen het niet zo goed. Hoe meer tips, hoe beter het is, toch?'

'Niet in het begin, wanneer tijd onze grootste vijand is,' begon Jim geduldig uit te leggen. 'We hebben nu veel aanknopingspunten die onderzocht worden. Bovendien hebben we al een opsporingsbericht laten uitgaan, een Amber Alert verstuurd en er is een tiplijn. Alles levert tips en aanwijzingen op, maar die moeten wel allemaal gecontroleerd en onderzocht worden en dat kost heel veel kostbare tijd. Er zijn jammer genoeg altijd een hoop mafketels die voor de aandacht bellen en die moeten we eruit filteren.' Jim pakte beide handen van de vrouw vast en keek haar geroerd aan. 'We weten uit ervaring dat het aantal tijdverspillende idioten enorm toeneemt, wanneer er een beloning in het spel is. En hoe hoger de beloning, hoe hoger het aantal nutteloze tips. Sommige mensen zien het zelfs als een loterij en roepen op goed geluk maar dingen, in de hoop dat ze later gelijk krijgen en aanspraak kunnen maken op de beloning. We hebben daar nu echt geen tijd voor.'

Jim zag dat Annie naar haar man keek voor bijval, maar die haalde gelukkig alleen maar zijn schouders op. Opnieuw keek ze Jim strak aan. Die vrouw wist niet van ophouden.

'Ik weet dat jullie ervaring met dit soort situaties hebben,' zei ze. 'Maar mijn gevoel zegt me dat we een belangrijk verschil kunnen maken.'

'U kent ons standpunt. Alles wat ik u zojuist heb verteld is waar. Maar, onder ons gezegd en vooral gezwegen, als ik me in uw situatie verplaats, moet ik eerlijk zeggen dat ik altijd op mijn gevoel vertrouw. En daar heb ik nog nooit spijt van gehad. Meer zeg ik niet.'

Annie leefde op. 'Dus u zegt…'

'Ik zeg helemaal niets. U weet wat mijn officiële standpunt is.' Jim knikte. 'Dank u. Ik kom er wel uit.' Hij keek de kamer rond. 'Mijn oprechte deelneming nog met uw verlies.'

De oude man die tot nu toe stil op de bank had zitten luisteren, ging ineens rechtop zitten en mompelde: 'Bunkers.'

'Sorry?' vroeg Jim.

'Fijn duinzand en cementstof horen bij bunkers,' zei de oude man nu iets luider.

Jim knikte. 'Dat vermoeden hebben wij ook. Ik heb het onderaan mijn blocnote geschreven.'

'Wanneer gaan jullie zoeken?' vroeg Annie hoopvol.

'Zodra we weten waar we moeten zoeken. Bunkers staan door heel Nederland.'

'Maar duinen niet. Die heb je vooral aan de kust,' zei Jasper kalm.

'Daar zijn we van op de hoogte.'

'En gezien de beperkte tijd die ze hadden, moet de locatie in de buurt liggen,' bleef Jasper volhouden.

'Dan hebben we het nog steeds over bijna de hele Nederlandse kustlijn. En iedere plaats heeft zijn eigen gebieden. Kijk bijvoorbeeld alleen maar naar Katwijk; we hebben de hele zeereep, de Zuidduinen en de Noordduinen. Bovendien zijn de grensgebieden bezaaid met bunkers.'

'Er is een theehuis bij Wassenaar? Misschien houden ze hem daar?' opperde Annie.

'Het terrein van de watertoren is erg groot en daar staat een oud, leegstaand gebouw op, dat nu staat te verpauperen. Van steen en beton,' voegde Jasper er ten overvloede aan toe. 'En er grenzen bunkers aan hun terrein.'

'Hij kan dus overal zitten,' zei Jim. 'Maar we hebben niet genoeg mensen om alles tegelijk uit te kammen. We zijn er mee bezig en we zoeken het tot op de bodem uit. Het net sluit zich al. We vinden hem wel.'

'Maar vinden jullie hem op tijd?' Annie hief hulpeloos haar armen in de lucht.

'Als hij maar niets mankeert,' mompelde Jasper verdrietig.

'We doen wat we kunnen.'

Met een dubbel gevoel trok Jim de deur achter zich dicht. Hij was opgelucht dat hij daar weg was, maar toch iets teleurgesteld omdat hij verder niets wijzer was geworden. Haastig reed hij terug naar het bureau.

Op het politiebureau was aan het eind van de middag opnieuw een tussentijdse evaluatie. Het minerale onderzoek van het cementstof vorderde gestaag, omdat het een complexe samenstelling had, die de laboranten en de computers nog niet veel zei. Wel zeker was dat het een oude en afwijkende formule was. Verder werd er tijdens de evaluatie voornamelijk over het plan van aanpak gediscussieerd.

Het opsporingsbericht dat vandaag op televisie was uitgezonden, had inderdaad voor een enorme hoeveelheid tips gezorgd. De meeste onbruikbaar, maar een redelijk aantal moest verder onderzocht worden. De mogelijkheid van een beloning werd besproken en voorlopig ingepland voor over een week. Verder sporenonderzoek, het peilen en uitlopen van telefoongesprekken, buurtonderzoek, verklaringen van familie en vrienden, het leek tot nu toe allemaal even vruchteloos. Ook het toxicologisch rapport was eindelijk binnen, maar er waren geen drugs, gif of andere chemische middelen gevonden.

Dankzij de nauwkeurige verklaring van de grootouders hadden ze een tijdsberekening gemaakt en op die manier hadden ze de maximale afstand berekend die dader en slachtoffer hadden afgelegd. Op de tafel lagen kaarten met cirkels, die het bereik aantoonden, en waardoor het onderzoek zich nu beperkte tot Katwijk, Noordwijk en Wassenaar. Er was een overzicht van de duinen in de betreffende gebieden opgevraagd. Op ieder overzicht moesten alle typen bunkers en overige bebouwing worden gelokaliseerd. Bij gemeente, Staatsbosbeheer en het kadaster werden zoveel mogelijk tekeningen opgevraagd en ingetekend. Een tijdrovende klus.

Zoals Accres reeds vermoedde, hoorde het adres dat ze gevonden hadden bij de woning waar zich het drama had voltrokken. De familie Hans en Jack Klinkhamer, zo wist hij inmiddels van internet en een opsporingsbericht van televisie. Het politieapparaat was druk op zoek naar die Jack. Blijkbaar hadden ze hem nog niet gevonden, anders was het vast en zeker breed uitgemeten in het nieuws.

Het was jammer dat hij zijn moeder niet teveel kon vertellen over de situatie. Dat mens had de hele dag de tijd om dingen voor hem uit te pluizen op internet. Nee, zolang ze nog niet seniel werd, moest hij dit soort zaken maar voor zich houden. Dat seniel worden kon toch nooit lang meer duren, hoopte Accres.

Waar kon dat joch toch uithangen? Hij wist in ieder geval om wie het ging en waar de jongen vandaan kwam. Maar waar zat hij nu dan?

Na een dag piekeren had Accres een gedurfd idee hoe hij aan een paar antwoorden kon komen. Hij ging undercover. Daarvoor verkleedde hij zich, wat inhield dat hij een lange, bruine regenjas aantrok, zoals alle detectives op televisie droegen. Hij was van plan een bezoekje aan de ouders van die Hans Klinkhamer te brengen. Wanneer hij zich voordeed als privédetective, kon hij vast wel wat nieuwe aanwijzingen krijgen. Als hij die eenmaal had, dan kon hij die arrogante Dimorf ermee om zijn oren slaan, zodat die zelfingenomen eikel hem eindelijk eens serieus ging nemen. Hij was tenslotte geen debiel.

Hij hoorde het sarcasme in bijna iedere zin van die man en hij was het meer dan zat. Het liefst zou hij Dimorf laten verdwijnen of laten opeten, maar hij was er van overtuigd dat dat voor ellende zou zorgen. Die vent was niet helemaal gek en hij zou er niet vreemd van opkijken als Dimorf in zijn eentje het hele genootschap aankon wanneer hij in het nauw gedreven werd.

Eerst zou Accres in het huis aan de Zwarteweg naar het adres van die oudjes zoeken. En hij moest een overtuigende badge hebben. Hij had op de computer al een mooie identificatiepas gemaakt en die laten plastificeren. Wat betreft de badge, dat was een klassiek geval van appeltje eitje. Een aantal jaren geleden was hij begonnen met het sparen van Amerikaanse politie-insignes. Natuurlijk nooit de collectie afgemaakt. Die krengen werden iedere maand duurder, waardoor de halve verzameling nu al jaren stof lag te verzamelen in een doos op zolder. Maar nu kwamen die dingen eindelijk eens van pas. Hij zocht de meest overtuigende uit; een mooie glimmende met kleine letters. Die oudjes lazen dat toch allemaal niet.

Benieuwd naar het resultaat pakte hij zijn portefeuille erbij, klapte hem open, schoof het zelfgemaakte pasje achter een doorzichtig venster en prikte het insigne erboven door het leer vast. Hij sloot de portefeuille en klapte hem op Miami Vice wijze open.

'Dillan de Groot. Detective!' schreeuwde hij naar een onzichtbare dader. 'Ik wil u graag een paar vragen stellen.'

Hij draaide de portefeuille om en bekeek voldaan het resultaat. Het zag er geloofwaardig uit. Hij was klaar voor het echte werk. Voor zijn onderzoek in het huis moest hij alleen nog een zaklamp hebben. Hij wilde daar natuurlijk niet de verlichting aan moeten doen om iets te kunnen zien. Onderin een kast vond hij een zaklamp.

Tevreden liep hij de trap af en verzamelde ondertussen moed om zich bij zijn moeder af te melden. Zijn vader was al bijna tien jaar dood en sindsdien had dat oude kreng altijd iets te zeiken gehad voordat hij wegging.

Hij vond zijn moeder zoals hij haar de laatste jaren alleen nog maar zag: aan de eettafel in de keuken, achter haar laptop, surfend op internet of zinloze spelletjes spelend.

'Ik ga even weg,' riep Accres vanuit de deuropening.

'Zolang jij de vaatwasser niet hebt leeggehaald, jongeman, ga jij nergens heen,' blafte zijn moeder terug, zonder van het scherm op te kijken.

'Ik kan niet alles hier in huis. Kom van je stoel en doe zelf ook eens iets!'

'Zolang ik hier de huur betaal, doe jij gewoon wat je moeder zegt. En als jij je toon niet verandert, dan kom je er vanavond niet meer in. En nu eerst die vaatwasser leeghalen, ellendeling!'

Accres balde zijn vuisten en keek zijn moeder vernietigend aan. 'Jij je zin.' Hij stampvoette naar de vaatwasser en ruimde in twee minuten alles op dat er in stond. Ondertussen negeerden ze elkaar.

'Waarom draag jij je vaders regenjas?' vroeg zijn moeder ineens.

'Zomaar. Het gaat straks regenen.'

Er klonk wat geklik en geschuif met de muis. 'Volgens Buienradar gaat het helemaal niet regenen,' zei ze argwanend.

'Laat me nou toch even. Ik draag gewoon die jas en daarmee uit.'

Accres liep richting de voordeur en had de klink al vast.

'Als ik jou was, zou ik maar niet raar opkijken als je thuiskomt en de sloten zijn veranderd,' krijste zijn moeder vanuit de keuken.

'Je doet maar!' riep hij terug en sloeg de deur met een knal dicht. Met grote passen liep hij naar zijn auto en stapte in. 'De telefoon staat toch te ver bij je stoel vandaan, lui kreng,' zei hij zacht terwijl hij het portier sloot.

Boordevol adrenaline reed hij in zijn BMW in tweeënhalf uur naar de Zwarteweg in Katwijk. Voorzichtig naderde hij de oprit en controleerde of er geen politie meer aanwezig was. Het was een open oprit, zonder hek, slechts met roodwit lint afgezet, waar zijn kleine 1 serie zo onderdoor gleed. Accres parkeerde de auto voor de deur, stapte uit en liep al naar de voordeur, toen hij zich ineens realiseerde dat dit er knap verdacht uitzag wanneer er een surveillerende politieauto langs zou rijden. Hij besloot zijn auto toch een eindje verderop te parkeren en daarvandaan naar het huis te lopen.

Peinzend stond Accres voor de voordeur. In zo'n enorm huis moest bijna wel een alarminstallatie zitten, bedacht hij. Hij zou zich dus moeten haasten. Bovendien ontdekte hij nog iets waar hij geen rekening mee had gehouden: handschoenen. Dan maar de mouwen van zijn jas gebruiken.

Hij probeerde de voordeur, maar die zat op slot. Zo zachtjes mogelijk sloop hij naar de achterdeur en probeerde die. Ook op slot. Met zijn elleboog tikte hij een raampje van de deur in, stak zijn hand naar binnen en draaide het slot om. Even zette hij zich schrap voor een eventueel alarm, maar het bleef stil.

Met zijn mouwen veegde hij haastig zijn vingerafdrukken van het slot en liep de keuken binnen. Vlug liep hij door de keuken en kwam terecht in een lange gang. Eindelijk was het geluk eens aan zijn zijde. In de gang hing een prikbord vol met kaartjes, waarop afspraken met de tandarts, bloedbank en kapper stonden. Maar ook ansichtkaarten van familie, adreswijzigingen en grappige berichten uit kranten.

Zijn aandacht werd getrokken door een postkaart met een adreswijziging van Annie en Jasper Klinkhamer. Dit was te makkelijk voor woorden. Als dit een voorteken is, dacht hij bij zichzelf, dan wordt deze avond een groot succes. In gedachten las hij Dimorf al triomfantelijk de les.

Accres rukte het kaartje van het prikbord en spurtte terug naar de achterdeur. Half in paniek holde hij naar de straat waar hij zijn auto geparkeerd had en reed met piepende banden weg. Hij was al een aantal wijken gepasseerd, voordat hij pas durfde te stoppen. In de auto bekeek hij het nieuwe adres en zocht het op in zijn oude, trouwe stratenboek.

Het was hier niet zo ver vandaan. Hij oefende nog één keer zijn nieuwe naam en reed toen naar het adres van de ouders van Hans Klinkhamer.

Een oude vrouw opende de deur en keek hem vragend aan.

'Dillan de Groot. Detective!' riep Accres enthousiast, terwijl hij met een soepele beweging zijn portefeuille openklapte en het insigne met valse legitimatie liet zien. In dezelfde beweging klapte hij deze meteen weer dicht en stopte hem terug in zijn broekzak. 'Mag ik even binnenkomen?' Hij zette zijn voet in de deuropening.

De vrouw twijfelde. 'Mag ik dan eerst uw legitimatie nog eens zien?'

'Alles op zijn tijd, mevrouwtje.' Hij zette zijn andere voet naast de eerste, waardoor hij zich onhandig naar binnen wrong en haar een stap naar achteren duwde. Accres voelde zich sterk in zijn nieuwe rol.

'Jasper!' riep de vrouw de gang in.

'U hoeft niet bang te zijn, hoor. Ik ben ook op zoek naar uw kleinzoon.' Accres liep langs haar heen naar de woonkamer. 'Komt u mee?' vroeg hij quasi onschuldig.

In de woonkamer wist de oude man uiteindelijk overeind te komen. Accres nam aan dat de man Jasper moest zijn.

'Mag ik nu uw legitimatie nog eens zien?' Die oude vrouw wist van geen ophouden.

'Uiteraard.' Accres haalde zelfverzekerd zijn portefeuille met de badge uit zijn broekzak, klapte hem open en overhandigde deze aan Annie Klinkhamer. Hij stond al binnen, dus wat kon er nu nog mis gaan? 'Zoals u ziet ben ik volledig bevoegd. Ik wil u graag een paar vragen stellen, zodat ik uw kleinzoon snel terug kan vinden.'

'Maar we hebben helemaal geen detective gebeld. Wie heeft er contact met u opgenomen?'

Accres wuifde de vraag weg.

Jasper maakte weer aanstalten om te gaan zitten en liet zich krakend achterover vallen in zijn oude relaxfauteuil.

De vrouw keek bedenkelijk. 'Op uw pas staat dat u een Nederlands detective bent, maar op dit stalen ding hier staat State Nevada Police Departement? Wat betekent dit?'

Accres schrok van de onvoorziene vraag. 'Ik... Ehh... Hoe zal ik het u uitleggen... U moet...' Langzaam liep er een druppel zweet over zijn voorhoofd. 'Ik heb mijn papieren in Amerika behaald. Daar zijn de reglementen veel strenger en dat kwam mijn kwaliteiten hier ten goede. Bovendien kun je jezelf daar specialiseren in onderzoeksmethoden en die… Ehh… leerprogramma's zijn daar veel verder qua kennis dan hier in Holland.'

'Maar waarom helemaal daar? Hoe kwam u daar zo verzeild?'

'Gewoon… met het vliegtuig.' Een tweede zweetdruppel baande zich een weg over het magere en inmiddels witte gezicht van Accres.

'Dat bedoelde ik niet. Ik geloof niet dat u bent wie u zegt.'

'Doet u nou niet zo moeilijk en vertel me wat u weet over de verdwijning van uw kleinzoon.'

'U blijft hem maar mijn kleinzoon noemen. Weet u eigenlijk wel hoe hij heet?'

Stik, flitste het door Accres' gedachten, ik had op die kaartjes moeten kijken die aan dat bord hingen. 'Natuurlijk weet ik dat.'

'Wie heeft u ingehuurd? Wie betaalt u?'

'Hoe heet onze kleinzoon dan?' wilde Jasper weten.

Accres voelde zich behoorlijk in het nauw gedreven en raakte een beetje in paniek. Hij kon nog weg komen, maar dan was er niets om Dimorf mee te imponeren. Hij mocht het huis niet zonder informatie verlaten. Zijn ogen speurden de ruimte af op zoek naar… Hij wist het zelf niet, totdat hij het in zijn hand had.

Hij zag dat het oude vrouwtje, met haar felle, verbeten gezicht, nog steeds op antwoord stond te wachten. Ze keek hem strak aan en Accres zag haar pas opkijken naar de asbak in zijn hand, toen hij zijn arm al hoog in de lucht had. De klap klonk doffer dan hij had verwacht. Achter hem hoorde hij de man schreeuwen. Het lichaam van de vrouw zakte als een marionet met doorgeknipte touwtjes in elkaar.

De oude man kwam zo vlug als zijn krakkemikkige lichaam het toeliet uit zijn stoel. Hij knielde bij zijn vrouw neer en jammerde aan één stuk door.

Accres was verbaasd over de hoeveelheid bloed die uit het gat in de schedel vloeide. Dat had hij nooit eerder gezien. Misschien slikte ze bloedverdunners?

Met zijn handen probeerde de oude man het bloeden te stoppen. Accres had nog nooit zoiets onzinnigs gezien. Zelfs een blinde zou zien dat stelpen hier geen enkele zin meer had.

Toen, alsof er een knop omging, werd de omvang van de ellende pas duidelijk en werd Accres kwaad. Hij griste zijn portefeuille uit de hand van de dode vrouw en schreeuwde hysterisch: 'Is dit wat je wilde, oude gek? Ik wil alleen wat informatie!'

Jasper zat huilend op zijn knieën en hield de hand van zijn vrouw vast, maar Accres sleepte hem bij haar vandaan. De oude man woog niets. 'Vertel me wat je weet, anders sla ik haar nog een keer. En daarna nog een keer! Vertel me wat je weet.'

'We weten niets. Net als de politie,' snikte het mannetje.

Accres haalde hard uit en sloeg met de asbak tegen het levenloze hoofd. Hij raakte haar vrijwel op dezelfde plek. Stukjes van haar kapotte schedel en zacht weefsel spatte in de kamer rond.

'Hou op! Ze hebben iets ontdekt! Het is niets!'

Accres hief de asbak weer in de lucht. 'Wat hebben ze ontdekt?'

'Duinzand en cementstof! Meer weten we niet. Laat ons met rust!'

'Wat is daarmee?'

'Dat hebben ze gevonden.'

'Waar?'

'We weten verder niets!'

Er had zich een plas bloed om het hoofd van Annie gevormd. Jasper probeerde naar zijn vrouw te kruipen.

'Was dat nou zo moeilijk? Moest dat oude lijk daar nou zo'n drama van maken? Dit is haar eigen schuld.'

'Ga weg!' huilde Jasper en kroop weer richting het lichaam van zijn vrouw.

'Rustig maar. Ik ga al. Maar dan ga je zeker meteen de politie bellen? Dan ziet m'n moeder straks mijn signalement op "opsporing verzocht!" en dan geeft die ouwe teef me meteen aan.'

Jasper lag eindelijk bij zijn vrouw en nam haar ontzielde lichaam opnieuw in zijn armen. Huilend kuste hij haar hoofd en mompelde haar naam.

'Dat dacht ik al,' zei Accres zelfgenoegzaam, waarop hij naar de bejaarde man toe liep en de asbak weer hoog in de lucht hief. 'Je verwacht het misschien niet, maar dit was niet mijn eerste moord. Ik heb er al heel wat meegemaakt.'

De oude man reageerde niet meer. Hij hield zijn vrouw stevig vast en wachtte af.

'Meestal eten we ze op. Je hebt geen idee hoe lekker mensenvlees is. Daar kan echt geen kogelbiefstuk, tournedos, of noem maar op, mee vergeleken worden. Maar jullie moet ik niet. Bejaard vlees.'

Met een aantal ferme meppen liet hij de asbak op Jaspers hoofd neerkomen.

De oude man stierf met het lichaam van zijn vrouw in zijn armen. Na drie doffe klappen werd het stil in huis.

Door zijn opmerking over bejaard vlees moest Accres ineens aan wijn denken. Zijn gedachten waren eigenlijk al bij de eerste klap afgedwaald.

Goede wijn moest rijpen. Misschien ging dat principe voor vlees ook op. Het was in ieder geval genoeg om zijn nieuwsgierigheid te wekken. In de keuken haalde hij een groot vleesmes uit één van de laden onder het aanrecht vandaan. Hij zocht een plastic tasje en liep terug de woonkamer in. Emotieloos bekeek Accres zijn slachtoffers en rolde ze van elkaar af. Hij stroopte zijn mouwen op en sneed de zachtste stukken vlees van beide lijken af en stopte ze in de plastic tas. Ondanks de kliederboel die hij creëerde, deed hij de grootste moeite om zelf een beetje schoon te blijven.

Door de geur van bloed en het dode vlees dat zo heerlijk glibberde in zijn handen, was hij behoorlijk opgewonden geraakt. Eigenlijk wilde hij masturberen, maar de tijd begon te dringen. Hoe langer hij bleef, hoe groter de kans werd dat ze hem zouden oppakken. Accres was ervan overtuigd dat hij het niet goed zou doen in de bak, daarom besloot hij voor deze keer alleen genoegen te nemen met het verse vlees. De structuur van de lappen was heel anders dan hij gewend was van de feesten van het genootschap. Dit zou onverwacht nog heel wat kunnen zijn.

Accres trok zijn met bloedspatten bedekte regenjas uit en frommelde hem in elkaar. Hij verwijderde zoveel mogelijk alle vingerafdrukken die hij in de keuken en de woonkamer mogelijk had achtergelaten. Hij rolde het mes en de asbak in de regenjas. Die zou hij onderweg wel ergens dumpen. De rest van zijn bebloede kleding kwam later wel, zolang hij maar niet door iemand werd gezien.

Voldaan liep hij de voordeur uit.

Hij had honger.

# De vierde dag

**H**et lukte Jack maar niet om in slaap te vallen. Het was die nacht ijskoud en zijn shirt wilde maar niet drogen in dat vochtige hok. Hij had geprobeerd om zonder bovenkleding op het koude zand te liggen en zo toch maar wat te slapen, maar dat was niet uit te houden. Het zand warmde ook niet op van zijn lichaam en bleef maar koud. Na verloop van tijd was de kou doorgetrokken tot in zijn botten en kreeg hij hoofdpijn van de slaap. Zijn ogen waren bloeddoorlopen. Als bonus op alle ellende had hij ook nog eens een verkoudheid gekregen. Versuft zat hij in het midden van de kamer te wachten tot de zon opkwam en deze de ergste kou voor hem zou verjagen.

Jack huilde zachtjes omdat hij zijn vader miste. Hij was moe en verward, maar vooral hongerig. Het enige eten dat Jack nog over had, was het restant van de cake. Met zijn laatste energie haalde hij de cake uit de verder lege plastic tas. Als een uitgehongerd beest verorberde hij de cake en hervond daardoor iets van zijn energie. Met de halve fles regenwater die nog over was, spoelde hij de plakkerige restanten weg. Tijdens het drinken viel het hem op dat hij tussendoor steeds naar adem moest happen. Hij ademde veel vlugger dan normaal.

Nu het pijnlijke hongergevoel was verdwenen, kreeg hij ineens spijt. Hij had nu alles opgemaakt. De enige twee dingen die nog over waren gebleven, waren een halve kaars en een zaklamp. Dat waren niet eens twee dingen, maar anderhalf. Nog minder.

Wat als zijn vader hem misschien toch niet op tijd zou vinden? Jack kuchte. Na een aantal kuchen werd de kuch een hoest en de hoest veranderde in een hoestbui, waarbij de tranen over zijn wangen liepen. Hij voelde zich niet goed. Slap als een vaatdoek begon hij rondjes te lopen om het iets warmer te krijgen. De energie die de cake hem had gegeven, verdween als sneeuw voor de zon en hij begon te rillen. Na een paar rondjes kon hij gewoon niet meer en liet zich langzaam op zijn knieën zakken. Na een nieuwe hoestbui zakte Jack voorover en rolde zich op zijn zij in de foetushouding. De kou maakte hem niet zoveel meer uit. Hij was zo moe. Hij sloot zijn ogen en wachtte geduldig tot de slaap hem kwam halen. Opgelucht merkte Jack dat de kou langzaam leek te verdwijnen, terwijl hij zich afvroeg waar hij toch zo moe van kon zijn. Hij had niet echt veel gedaan.

Jim en Henk zaten achter een bureau in een kil vertrek. Er stond niet meer in dan een enorme tafel, groot genoeg voor de twintig stoelen die eromheen stonden. Er waren slechts enkele stoelen leeg. De aanwezige rechercheurs namen in alle vroegte de feiten nog eens door. Voor hen, in het midden van het bureau, lag een enorme stapel met paperassen. Het was alle informatie over behuizing, schuren, bunkers en andere bebouwing die de gemeente, Staatsbosbeheer en het kadaster tot nu toe hadden verstrekt.

De deur zwaaide open. Er stapte een magere jongeman binnen met in zijn handen een nieuwe stapel plattegronden en schematische doorsneden van gebouwen en bunkers. Onmiddellijk werd het rumoerig in het kantoor.

'Weer een nieuwe lading?' vroeg Henk.

'Zo komen we er nooit doorheen,' riep een oudere rechercheur die tegenover hem zat.

'Waar kan ik dit laten?' vroeg de jongenman die de kamer binnengestapt was.

'Gooi maar op die stapel daar,' zei Jim. 'Die moeten we toch nog doornemen.'

De jongeman keek opgelucht en liet de paparassen bovenop de aangewezen stapel vallen. Hij grijnsde. 'Tot over een half uurtje, mannen. Succes!'

'Als je nou niet oprot!' riep Henk.

'Neem de volgende keer koffie mee!' riep een andere rechercheur.

Henk keek verslagen naar de koffiemokhoge stapel en pakte het bovenste vel eraf. 'Ik kan geen plattegrond meer zien. Al die grauwe kleuren beginnen op mijn zenuwen te werken.'

De rest van de aanwezige mannen deed alsof ze hem niet hoorden en namen per groepje de papieren door. Ze selecteerden de meest relevante, die meteen op een eigen plattegrond werden bijgetekend. Af en toe overlegden ze onderling over mogelijke locaties en motieven.

'Even wat afleiding,' zei Henk. 'Als we afgestompt raken zien we straks belangrijke dingen over het hoofd. Ik zat te denken. We kunnen een aantal locaties uitsluiten.' Hij legde een stapel papieren opzij. 'Het terrein van de waterwinning mag van de lijst. Ze had daar niets te zoeken en het terrein is met een slagboom afgesloten. Niemand in haar familie werkt daar, of heeft daar gewerkt, dus daar kom je dan ook niet zo makkelijk terecht.'

'Dat denk ik ook,' zei Jim. 'We moeten het meer in de bunkers zoeken. Maar in welke duinen staat de bewuste bunker en belangrijker: waarom was ze daar met die jongen? We kunnen geen enkel aannemelijk motief vinden.'

'Er is ook geen enkele getuige waar we iets aan hebben. Zelf vind ik het vooral vreemd dat ze terug is gegaan. Dat is gewoon onlogisch,' reageerde Henk.

'Welke scenario's hebben we? Roep eens wat, Henk.'

'Ze had weinig kleding aan toen ze aankwam, hoewel ze volgens haar sociale omgeving geen mannenverslindster was. Dankzij de huiszoeking weten we dat ze op een advertentie heeft gereageerd. Verder zijn er geen aanwijzingen dat dader en slachtoffers elkaar kenden. Er stonden geen afspraken in zijn agenda. We kunnen aannemen dat het oppassen pas op het laatste moment is geregeld en we weten dat haar oppaskleding op het randje van fatsoen balanceerde.'

Jim knikte. 'Dankzij het sporenonderzoek weten we dat ze met de jongen ergens naar de duinen is geweest en vervolgens weer is teruggekomen zonder de jongen. Zijn vingerafdrukken zaten in haar auto, maar er lag alleen zand bij haar stoel, niet bij de bijrijderstoel of achterin. Ik vraag me af waarom ze het bed van de jongen met kussens heeft gevuld?'

'Zodat het leek alsof de jongen lag te slapen,' antwoordde een rechercheur naast Henk, die het gesprek volgde.

'Dat denk ik ook,' zei Jim. 'Om tijd te winnen en om geen argwaan te wekken. Nu zou Hans er pas 's ochtends achter komen dat zijn zoon niet in bed lag.'

Henk maakte de gedachtegang af: 'Maar waarom kwam ze terug en waarvoor wilde ze tijd winnen? Ik denk om geen getuigen achter te laten.'

'Hans Klinkhamer was een grote en sterke man, die had ze nooit zomaar kunnen uitschakelen. Dus besloot ze haar lichaam te gebruiken om hem af te leiden. Klinkt dat aannemelijk?'

'Het kan. Maar waaròm moest hij dood?'

Het gesprek viel stil. Iedereen dacht na. 'We zijn weer terug bij af,' zei Henk tenslotte.

'Misschien was er ergens iets aan de hand, wat niet in gevaar mocht worden gebracht?' opperde een andere rechercheur. 'Nu zou het korps er pas 's ochtends bij worden gehaald.'

'Goed, maar nu is Hans vermoord en zijn we pas aan het begin van de middag benaderd. Nog meer tijdwinst.'

'Waarom zou je riskeren alsnog betrapt te worden, terwijl je tijd zat hebt om jezelf in veiligheid te brengen?'

'Misschien was ze iets vergeten?' opperde Henk.

'Maar we hebben niets afwijkends gevonden,' zei een andere rechercheur.

'Tijdwinst dus. Maar niet voor zichzelf.'

'Dat lijkt mij ook. Dat er geen andere vingerafdrukken in de auto en in haar woning zijn aangetroffen, is nog geen bewijs dat ze alleen gehandeld heeft. Het is alleen aannemelijker, ook omdat ze seks met het slachtoffer heeft gehad. Als ze een partner had gehad, dan ga je niet de duinen in. Je hoeft iemand niet ergens te verstoppen, als je hulp hebt.' Henk had een goed punt gemaakt, want er werd zwijgend geknikt.

'Tenzij je een afspraak hebt voor een bepaalde tijd of datum,' merkte de andere rechercheur na een tijdje op.

'Dat lijkt me niet,' vond Jim. 'Meestal is dat het geval bij een ontvoering voor losgeld en er is geen losgeld gevraagd. Dit is trouwens nog een argument waarom ze alleen gehandeld zou kunnen hebben.'

'Misschien een kinderwens?' opperde Henk.

'Dat zijn eigenlijk altijd echtparen,' zei Jim.

De deur zwaaide open. Er kwam iemand de kamer binnen zonder stapel papieren. Verbaasd keken de aanwezige rechercheurs naar de Leider van het onderzoek, die met een slecht-nieuws-gezicht binnen kwam. 'De helft van jullie moet nu weg. De opa en oma van de vermiste jongen zijn gisteravond vermoord,' meldde de man. Hij wees een aantal rechercheurs aan, waaronder Jim. Henk moest blijven.

'Ik ben er gisteren nog geweest,' zei Jim verbaasd.

'Wat is er toch met die familie aan de hand?' vroeg Henk zich hardop af.

'Iemand is sporen aan het wissen. Ze handelde dus níet alleen,' antwoordde een andere rechercheur.

'Spring vlug in je auto,' zei Henk tegen Jim. 'Houd ons op de hoogte. Wij puzzelen hier verder.'

Door alle geparkeerde politiewagens en piketvoertuigen bleek het onmogelijk om in de buurt van de woning te parkeren. Jim moest zijn auto twee straten verderop neerzetten. Het duurde even voordat hij de nieuwe pd had bereikt. Deze locatie had een andere Leider plaats delict. De man herkende Jim en wist hem al in de voortuin te onderscheppen.

'Jim, jij zit toch op die zaak van de Zwarteweg?' vroeg de kalende Leider, terwijl hij door de dikke stapel papieren bladerde, die hij in zijn handen had.

'Dat klopt, Gert,' antwoordde Jim mat. Hij wist al wat de volgende vraag zou worden.

'En jij bent volgens de rapporten gisteren nog bij het echtpaar langs geweest, toch?'

'Dat klopt ook.'

'Hoe waren ze? Viel er nog iets bijzonders te melden? Ik heb namelijk nog niet het verslag van die afspraak ontvangen. Jouw afdeling loopt sowieso niet voorop qua rapportagesnelheid.'

'Dat kan best. Ik ben meer van het oplossen van misdaden, dan van de papierwinkel. Dat verslag ligt nog op m'n bureau, die krijg je nog,' loog Jim. 'Maar er viel niets bijzonders te melden. Ze wilden graag een beloning uitloven en reageerden verder zoals je zou verwachten bij de tragedie die hen is overkomen. Er viel niets toe te voegen aan hun bestaande verklaringen. Al met al was het een vruchteloos bezoek.'

De Leider knikte begrijpelijk en schreef ieder woord op.

'Hoe is het hier, Gert? Is het erg?'

De man wiebelde ongemakkelijk op zijn benen en keek Jim indringend aan. 'Het is niet fraai,' antwoordde hij hoofdschuddend.

'Dat is het nooit.'

'Zoals dit, heb je nog nooit een pd gezien.'

Jim voelde zich ongemakkelijk worden. Hij had gisteren nog met die mensen gepraat en hun hand geschud. 'Nou, voor de draad ermee.' Vanuit zijn ooghoeken zag Jim in de woonkamer het geflits van de politie-camera.

Net toen Gert zijn mond wilde openen om Jim op de hoogte te brengen, kwamen er meer rechercheurs bij hen staan.

'Laat maar,' zei Jim. 'Ik kijk zelf wel even. We nemen straks de boel wel even door.'

Jim liep de gang in en richtte zich tot de eerste die hij zag: 'Wie heeft hen gevonden?'

Een jonge meid van net twintig in een dunne, witte overal was druk bezig de kozijnen in de gang te poederen op vingerafdrukken. 'Niets aanraken, hoor. En blijft u alstublieft in het midden lopen.'

'Ik ken het klappen van de zweep, meid. Wie heeft ze gevonden?'

'Een schoonmaakster van de thuiszorg. Ze zit in één van de slaapkamers te wachten.'

'Waar liggen de lichamen?'

'In de woonkamer. Hier rechtdoor.'

Jim knikte en liep langs de jonge vrouw naar de woonkamer. De twee lichamen lagen in een enorme plas bloed naast elkaar. Aan de manier waarop de arm van de man onder het lichaam van zijn vrouw lag, wist Jim dat de lichamen waren omgerold. Hij zag bloedvlekken op de borst van de vrouw, die niet van haar konden zijn. In zijn hoofd reconstrueerde hij de gebeurtenis en zag dat de oude man boven op zijn vrouw had gelegen. Jims ogen werden groot en zijn mond zakte open van ontzetting toen hij zag dat er identieke lappen vlees waren weggesneden bij beide lichamen. Hij was verbijsterd. Er misten stukken uit de dij, de borst en een groot stuk uit de zij. Degene die hier verantwoordelijk voor was, moest onder het bloed hebben gezeten. Hoe kon niemand hem opgemerkt hebben?

Onmiddellijk liep hij naar de slaapkamer en zocht de vrouw die de lichamen gevonden had. Hij vond haar zittend op bed.

Jim bekeek de vrouw vluchtig. Ze was brandschoon. 'Het spijt me dat we u zolang hebben laten wachten. U hebt al een verklaring afgelegd bij één van de rechercheurs, toch?'

'Inderdaad.' De stem van de vrouw trilde hevig. Onthutst staarde ze naar de grond.

Jim legde zijn handen op de schouders van de vrouw en keek haar bezorgd aan. 'U bent natuurlijk enorm geschrokken. Hoe voelt u zich?'

'Wie doet nou zoiets?' Ze keek Jim hulpeloos aan. 'Het waren zulke lieve mensen.'

'We gaan er alles aan doen om dat monster te pakken te krijgen. Dat beloof ik u.'

Haar ogen priemden zich vast in die van Jim. 'Zo'n smeerlap hoort niet in onze maatschappij rond te lopen,' fluisterde ze.

'Als we hem hebben, beloof ik u dat hij zoiets nooit meer zal doen.'

De vrouw keek even bedenkelijk en knikte toen opgelucht. 'Dat is een troost.'

'Wilt u nog iets aan uw verklaring toevoegen?'

De vrouw schudde haar hoofd.

'Als we later nog aanvullende vragen hebben, dan nemen we contact met u op. U kunt zodadelijk uw adresgegevens achterlaten bij de rechercheur met al die papieren in zijn hand, daarna mag u weg. U begrijpt dat u hierover tegen niemand iets mag zeggen?'

De vrouw knikte nu en veegde wat tranen weg.

'Laat haar maar gaan,' riep hij vanuit de slaapkamer. 'Ze kan ons niet helpen.'

Leider Gert kwam de kamer binnen en begeleidde de vrouw verder.

Jim liep terug naar de woonkamer en keek nadenkend naar de fotograaf, die vanuit alle hoeken foto's nam.

Hij wilde zich juist omdraaien en afmelden, toen zijn telefoon ging. Tegelijkertijd begonnen de telefoons van een aantal andere rechercheurs te rinkelen. Geschrokken door dit slechte voorteken nam Jim op. Overal om hem heen klonken verontwaardigde rechercheurs. Jim had Henk aan de lijn, die hem vertelde dat hij onmiddellijk de televisie moest aanzetten op Nederland 3, maar een andere rechercheur was hem al voor. Toen het beeld aanflitste, werd het doodstil in de woonkamer. Er was een oproep te zien van Jasper en Annie Klinkhamer, die een beloning uitloofden van vijftigduizend euro voor degene die aanwijzingen kon verstrekken die leidden tot het bekend worden van de verblijfsplaats van hun kleinzoon Jack Klinkhamer.

Jims ogen gleden van het beeldscherm naar de twee levensloze lichamen op de grond. Het was vreemd om zo naast ze te staan en op de achtergrond hun emotionele betoog te moeten horen. Hij begreep het wel. Wanneer een geliefde vermist wordt, is hulpeloos moeten toezien hoe anderen zich met de zaak bezighouden het ergste wat er is. Dit was hun manier geweest om toch het verschil te maken.

Hij maakte zich los van de beelden en meldde zich af bij Gert, de Leider plaats delict.

'Jullie redden het hier wel, hè? Ik ga die beelden laten stopzetten. Misschien valt er nog iets te redden, maar ik ben bang dat het druk gaat worden. Mocht iemand iets belangrijks ontdekken, bel me dan meteen.'

Gert knikte.

**L**aat in de middag zaten Usurpator en Dimorf in het oude schuurtje. Accres was niet uitgenodigd, dit was een geheim overleg. Usurpator zat aan tafel, terwijl Dimorf gespannen heen en weer ijsbeerde.

'Ik heb verontrustend nieuws. Ik weet niet waar het vandaan komt, maar iemand heeft me een anonieme e-mail gestuurd.'

Usurpator zei niets, maar keek verrast naar Dimorf.

'Iemand van ons heeft een ouder echtpaar vermoord,' verduidelijkte hij. 'De opa en oma van de jongen die we nog steeds kwijt zijn.'

'Hoe weet je zo zeker dat het één van ons is?' vroeg Usurpator.

'Volgens de e-mail waren de zachtste stukken vlees van de lichamen afgesneden. De stukken die wij allemaal kennen.'

'Er zijn er maar een paar die ik daartoe in staat acht,' reageerde Usurpator.

'Inderdaad. Twee, om precies te zijn.'

'Die idioot van een Peter Kroon,' Usurpator spuugde de woorden, haalde adem en zuchtte: 'En… Accres.'

Dimorf knikte en herhaalde zachtjes: 'En Accres.'

'Peter is er toe in staat, maar hij weet niets van die jongen. Zijn slachtoffers zouden dan per toeval onze plannen doorkruisen. Die kans lijkt me te klein.'

'Mij ook. Bovendien weten we dat hij jong vlees wil. Hij zou nooit een bejaard echtpaar slachten.' Dimorf las de twijfel in Usurpators gezicht. 'Is er nog iets dat ik moet weten?'

'Er is nog iets, maar het heeft niets met die Kroon te maken. Vanmorgen heb ik een geheim overleg gehad met Accres. Niet over jou, maar het moest geheim zijn, omdat hij bang was voor jouw reactie.'

'Wat heeft dat pindabrein nog meer gedaan?' Dimorf stopte met ijsberen.

Usurpator haalde een fotolijstje uit zijn jaszak en overhandigde het aan Dimorf, die het meteen herkende en rood van woede werd. 'Ik wist het!'

'Hij heeft het meegenomen om achter haar denkwijze te komen,' zei Usurpator spottend.

'Door middel van een foto? Schei nou eens uit. Die gek wordt onze ondergang.'

'Daar kun je op wachten. Ik heb de foto ook bestudeerd en volgens mij heb ik iets ontdekt. Kijk...' Usurpator haalde de foto uit het lijstje. Op de achterkant van de foto stond met pen geschreven "1980 bij opa en oma".

Dimorf nam de foto aan en draaide hem om. Op de foto stond een ouder echtpaar op een brug, met een jonge Sylvia in het midden. Op de achtergrond liep een rivier, waarnaast een laag, maar breed gebouw was neergezet. Hij staarde een paar tellen naar de foto. 'Krijg nou wat! Dit ken ik,' riep hij ineens en wees met zijn vinger naar het gebouw. 'Dit is de oude groenteveiling in Katwijk.'

'Groenteveiling? Hebben ze die in Katwijk?'

'Nee, nu niet meer. Het is een aantal jaar geleden gesloopt, maar ik herken dat gebouw.'

'Dus Sylvia heeft banden met Katwijk. Dat is interessant.'

'Maar voor later zorg,' zei Dimorf. 'We zitten eerst nog met een andere situatie.'

Usurpator knikte en pakte plots de arm van Dimorf vast, die hiervan schrok. Hij draaide met een ruk zijn hoofd om en keek strak naar Usurpator. Ze hielden elkaars blik vast, terwijl Usurpator sprak: 'Het wordt tijd dat jij een hogere titel krijgt, Gerenommeerde. En aangezien er maar twee een hogere titel hebben, moet er iemand plaatsmaken.'

'Hij laat zich niet zomaar degraderen.'

Usurpator gebaarde Dimorf ook te gaan zitten. Na een stilte van een paar seconden sprak hij: 'Dat denk ik ook niet. Met de moorden heeft hij ons allemaal in gevaar gebracht. Bovendien begaat hij de ene stommiteit na de andere. Het geduld is op. Hij moet het veld ruimen.'

Dimorf overwoog kalm de woorden van Usurpator. 'Dat is het beste voor iedereen,' beaamde hij. 'Kunnen we hem opvoeren tijdens het eerstkomende feest?'

'Dat kan, maar dat duurt te lang. Het eerstvolgende feest is nog maanden weg. Hij moet binnenkort al verdwijnen.'

'We kunnen hem hier uitschakelen en vervolgens zijn lijk verstoppen. Of wil je hem eten?'

'Nee, we hebben pas gefeest. Elke dag biefstuk gaat ook vervelen. Bovendien moeten we zo snel mogelijk van hem af. Of wil jij hem eten?'

'Nee, ik walg van die vent.'

'Goed dan. Hij weet niet wat hem overkomt.'

Voor het eerst zag Dimorf een glimlach bij Usurpator.

Usurpator stond op. 'Vanavond spreken we hier om elf uur af. We houden het netjes, misschien kunnen we hier dan nog vaker komen. Ik neem een thermoskan mee met iets waarvan hij bewusteloos raakt.'

'Ik zorg voor de rest,' zei Dimorf. 'Elf uur hier. Jij maakt de afspraak?'

'Ik bel hem en meld dat we iets nieuws ontdekt hebben. Het gesprek verloopt zoals het normaalgesproken zou verlopen. Hij drinkt de koffie en valt neer.'

Dimorf keek op. 'Hij drinkt 's avonds geen koffie.'

'Dan vul ik hem met drank. Hij drinkt toch cola vieux?'

'Ja, maar niet als hij nog moet rijden. Hij komt met de auto.'

'Wat bewonderenswaardig. Frisdrank dan?'

'Uit een thermoskan?'

Usurpator keek Dimorf grijnzend aan. 'Ik sta nu open voor suggesties.'

'Ik kan hem ook gewoon met een eind hout tegen zijn achterhoofd slaan.'

'Ik dacht dat we het hier schoon wilden houden?'

'Jij wilt het hier schoon houden,' grijnsde Dimorf terug. 'Ik wil gewoon van hem af. Hij gaat ons een hoop ellende bezorgen. Trouwens, als ik hem sla, ontploft zijn hoofd niet meteen. Het is best een schone manier en het is absoluut effectief.'

'Goed. We doen het op jouw manier. Ik leid hem af, jij slaat.'

'Prima. Tot vanavond.'

'Elf uur. Wees op tijd. Dit moeten we samen doen, Vice-president Dimorf.'

Jack schrok wakker. De laatste flauwe zonnestralen vielen tussen de tralies door op zijn lichaam. Hij rilde. Hij durfde zich amper te bewegen, want zelfs de kleinste beweging vertaalde zich meteen in een stekende pijn die zijn armen en benen tergde. Jack voelde zich flink beroerd. Er waren steeds die steken in zijn buik en zijn huid was net zo koud als het beton waar hij op gelegen had.

Voorzichtig probeerde hij op te staan, maar zijn benen konden het gewicht niet dragen en hij zakte weer in elkaar. Jack wilde per se zijn shirt aantrekken en kroop, zo goed en zo kwaad als zijn lichaam het toeliet, naar het getraliede raam. Hij hees zich overeind en kon net bij het puntje van zijn shirt. Voorzichtig trok hij het naar beneden en bad dat het droog was. Hij voelde de droge stof op zijn lichaam vallen. Het voelde zelfs warm aan door de zon. Onhandig wurmde hij zich in het kledingstuk. Het warme shirt voelde heerlijk op zijn ijskoude lichaam en de pijn in zijn rug en schouders nam daardoor iets af. Hij spreidde de plastic zak uit over de vloer en ging erop liggen. De lege plastic fles weer onder zijn hoofd als kussen. Hij wilde zo min mogelijk contact maken met de koude vloer.

Toen hij net lag, kwam er weer een hoestbui, een stuk pijnlijker en heviger dan eerst. Jack moest zo hard hoesten dat hij witte flitsen voor zijn ogen zag. Hij had geen fut meer om overeind te komen en bleef liggen hoesten. Niet veel later viel hij opnieuw in slaap.

Er stond die avond slechts een kleine maan die de braakstaande landerijen aan de rand van het dorp zwak verlichtte. Het vervallen schuurtje wachtte geduldig achter de oude, vertrouwde bomenhaag op het bezoek dat onderweg was. Een verlaten kiezelpaadje slingerde tussen de landerijen door, vlak langs de bomenhaag. Het werd overwoekerd door gras en onkruid, waardoor er overdag bijna niemand over het paadje wandelde. Bovendien leidde het pad nergens naar toe. Halverwege verdween het in het veld tussen de zuringen, brandnetels en stekels. Er stond geen verlichting langs het paadje, waardoor het er 's avonds pikkedonker was en niemand zich daar waagde.

Op tafel stond een ouderwets olielampje dat een klein beetje licht in de schuur wierp. Met karton waren de kapotte ruiten van het schuurtje afgeschermd. Dimorf hoorde in de verte een kerkklok elf uur slaan. Geïrriteerd keek hij voor de zekerheid op zijn horloge. Hij was er al een kwartier. Onder de gammele tafel had Dimorf een aluminium honkbalknuppel geplakt. Hoewel de duct tape erg sterk was en goed aan de tafel bleef plakken, was hij toch bang dat de knuppel onverwacht op de grond zou vallen en voor vervelende situaties zou gaan zorgen. Hoe langer ze wegbleven, hoe groter de kans werd dat de tape zou loslaten. Even drong de gedachte zich aan hem op dat hij er zelf ingeluisd werd. Maar dat schudde hij vlug van zich af. Usurpator leek hem wel een geschikte kerel, van het type "een man, een man, een woord, een woord". Net als hijzelf, overigens.

Dimorf had zijn auto achter de schuur geparkeerd, waar deze uit het zicht stond. Mocht er zo laat op de avond toch nog één of andere held zijn hond hier in het donker uitlaten, dan zou zijn auto in ieder geval niet opvallen.

Er kwam een tweede auto aanrijden. Dimorf hoorde aan het geknisper van het grind dat de auto de bocht maakte en ook achter het schuurtje parkeerde. De motor sloeg af. Een halve minuut later stapte Usurpator de schuur binnen.

Op dat moment kwam ook Accres aanrijden. Usurpator knikte eerst, bij wijze van groet, naar Dimorf. Toen ze allebei de motor van de auto veel te dicht bij het pad hoorden afslaan, draaiden ze beiden met een ruk hun hoofd en keken geërgerd naar de auto van Accres. Hij had zijn auto pal voor het schuurtje geparkeerd, naast de bomenhaag.

Dimorf schudde zijn hoofd. 'Hoe is hij in vredesnaam ooit President geworden?'

Usurpator sloot de deur van het hutje en haalde zijn schouders op. 'Hij is de oprichter van het genootschap.'

'Ongelooflijk,' mopperde Dimorf. 'Die idioot zou zijn auto nog onder een lantaarnpaal parkeren, als die hier zou staan.'

'Gaat het lukken?' vroeg Usurpator op fluistertoon.

'Natuurlijk. Leid hem maar op een willekeurig moment af. Zodra hij jouw kant opkijkt, sla ik toe. Twee seconden zijn al genoeg.'

De deur zwaaide open, Accres stapte het vertrek binnen. Hij leek opgewonden.

'Dag heren.' Hij knikte. Ze knikten beleefd terug. Accres bleef naast de tafel staan.

'Ik hoorde dat jullie iets belangrijks wilden bespreken?' vervolgde hij. 'Dat komt goed uit; ik namelijk ook.'

Usurpator schraapte zijn keel en keek Accres aan, waardoor deze zijn kant op draaide en met zijn rug naar Dimorf kwam te staan. 'We zijn niet zo blij dat je de situatie zo hebt laten escaleren.'

Dimorf trok zonder lawaai te maken het plakband onder de tafel los en hield de knuppel stevig in zijn handen. Hij zou eens laten zien wat er met alle labiele kneuzen zou moeten gebeuren.

'Dat toontje bevalt me niet,' zei Accres. 'Wie denk je wel niet dat je voor je hebt? Ik wens met respect behandeld te worden.' Zijn gechoqueerde blik gleed naar Dimorf. Breed grijnzend staarde Dimorf terug.

'Wees eens eerlijk,' zei Dimorf. 'Heb jij die twee bejaarden om het leven gebracht en stukken van hun vlees gestolen?'

'Gestolen?' riep Accres. 'Wat maakt dat nou uit!' Zijn ogen fonkelden van woede. 'Ik heb een…' Hij haalde diep adem en hervond iets van zijn kalmte. 'Dat heb ik gedaan, inderdaad. Ik zocht daar naar informatie, maar die oudjes wilden me niet helpen. Misschien heb ik me toen een beetje laten gaan. Maar meer was het niet. Als ik jullie was, zou ik maar beter op je woorden letten. Een excuus lijkt me wel op zijn plaats.'

Dimorf schoot in de lach. Hij kon maar moeilijk geloven dat Accres dit serieus meende.

'Jij bent de grootste idioot die ik ken,' zei Dimorf kalm. Hij hoorde Usurpator grinniken.

Accres' gezicht verstrakte. 'Ik wist toch niet dat ze niet wilden praten!' schreeuwde hij.

Usurpator keek dwingend naar Dimorf. Blijkbaar vond hij dat het nu wel lang genoeg geduurd had. Dimorf had de knuppel met twee handen vast en verstevigde zijn greep.

Met een ruk draaide Accres zich om naar Usurpator. Onmiddellijk belandde de honkbalknuppel met een harde klap op het achterhoofd van Accres. Eén welgemikte dreun bleek genoeg om een fikse deuk in zijn schedel te slaan. Door de klap sloeg Accres tegen de muur, zakte door zijn knieën en viel op zijn zij. Boven de deuk was een rafelige snee ontstaan, waar langzaam bloed uitstroomde.

Usurpator en Dimorf waren er stil van en staarden beiden naar het lijk terwijl er rond het hoofd van Accres traag een rode plas groeide.

'Wat een rust ineens, hè?' merkte Dimorf op.

Usurpator grijnsde weer. 'Jij bent ook een gemene klootzak, hoor.'

Dimorf grijnsde terug. 'Ik wilde hem nog even laten weten wat ik van hem vond. Eerlijkheid duurt het langst.'

'Ik ben vooral blij dat we nu in normaal Nederlands kunnen praten.'

Dimorfs grijns werd nog groter. 'Ik houd van onze taal. Maar met hem zat ik gewoon te spelen.'

Usurpator schoot in de lach. 'Metonymisch gesproken,' zei hij sarcastisch. 'Opschepper!'

'Mooi, hè? Hij had geen idee, totdat jij het vroeg.'

'Ik schaam me daar niet voor,' bekende Usurpator. 'Een oud Chinees gezegde luidt: Als je een domme vraag stelt, ben je vijf minuten dom. Als je een domme vraag niet stelt, blijf je de rest van je leven dom.'

'Dat is een mooie. Die zetten we straks boven zijn graf. Wat zullen we met hem doen?'

'Ik heb even overwogen om alles zo te laten en de boel in de fik te steken. Maar dan krijg je natuurlijk meteen met de politie te maken. We zijn hier vaker geweest. Met hem. Je weet nooit wat ze vinden dat hen op ons spoor brengt.'

'Ja, dat is een slecht idee,' beaamde Dimorf. 'Bovendien moeten we dan weer een nieuwe locatie zoeken. Deze heeft zojuist geschiedenis geschreven en ik kom hier graag, dus laten we dat maar niet doen. We gooien hem in de kofferbak van zijn auto en dumpen de auto ergens waar hij lang onopgemerkt blijft. Over de plas bloed strooien we zand.'

Usurpator dacht even na. 'Waarom begraven we hem niet hierachter? Een grasmatje er overheen en er is geen haan die ernaar kraait. Als zijn moeder hem als vermist opgeeft, of als ze een lege auto vinden, is hij alleen maar vermist. Zolang ze geen lichaam hebben, is er niets aan de hand.'

'Ik had voor de zekerheid al twee scheppen meegenomen. Laten we dat dan maar doen. Het moet wel diep, anders wordt hij binnen een paar dagen opgegraven door een verdwaalde hond. Ik kan me voorstellen dat er hier overdag mensen met honden lopen.'

'Dat komt wel goed. Zijn auto parkeren we bij een grote flat op de parkeerplaats. Voordat het iemand opvalt dat er al een tijdje een auto staat weg te roesten, zijn we misschien al een jaar verder.'

Usurpator bukte voorover en controleerde voor de zekerheid Accres' zakken. Alles wat hij vond, haalde hij eruit, wat niet meer dan een portefeuille en een verfrommeld papiertje bleken te zijn. Hij vouwde het papiertje open en las hardop voor wat er op stond: 'Duinzand en cementstof.'

'Wat zeg je nou?' Dimorf draaide zich verbaasd om.

'Dat staat op dit briefje dat ik uit zijn broekzak haal.' Usurpator draaide het briefje om en zag dat er ook iets op de achterkant was geschreven. 'Er staat nog meer op. Hier staat: "Aanwijzing" geschreven.'

'Die verdomde idioot.' Dimorf draaide zich naar het lijk van Accres en schopte hem hard tegen zijn borst.

'Rustig, rustig,' mompelde Usurpator en stak zijn hand met gestrekte vingers naar Dimorf uit, om hem tot kalmte te manen.

'Hij hield informatie voor ons achter. Je weet wat dat betekent. Hij wilde zelf dat ventje vinden en God mag weten wat hij dan van plan was.'

Usurpator haalde nog een keer zijn schouders op. 'Het kan nauwelijks erger zijn dan wat wij met hem van plan zijn.'

'Die vent was een griezel. Vlug onder de grond met die dorpsgek.' Dimorf haastte zich de schuur uit en haalde de twee scheppen uit zijn auto. Samen begonnen ze een diep gat achter het schuurtje te graven.

# De vijfde dag

HOOFDSTUK 10

Jack schrok wakker van een vreemd geluid. Hij kneep zijn ogen samen om te kunnen zien wat het was, maar het was te donker. Moeizaam rolde hij zich op handen en knieën, om vervolgens in kleermakerszit met zijn rug tegen de muur te leunen. Hij zat recht tegenover het getraliede raam en voelde machteloos hoe de kou van de muur in zijn botten trok.

Doodstil wachtte Jack op het onvermijdelijke schimmenspel dat op de muren en in de hoeken van de bunker zou verschijnen. Steeds weer zag hij hoe de schaduwen door de zonsopgang langzaam tot leven kwamen en zijn lichaam met hun lange vingers probeerden aan te raken. Zo goed als hij kon, concentreerde hij zich op de zon die de meeste duisternis wel verjoeg, maar tevens het gehate schaduwspel tot leven bracht.

Ineens meende Jack in de donkere hoek tegenover hem beweging te zien. Een beweging die niet door de schaduw werd veroorzaakt. Er leek iets uit de donkere vlek te steken. Jack probeerde niet te kijken en staarde geconcentreerd naar de opkomende zon. Kippenvel kroop over zijn rug. Na een tijdje won zijn nieuwsgierigheid het toch van zijn angst en voorzichtig gluurde hij naar de hoek. Er leek nog altijd iets vreemds uit de schaduw te steken.

Net toen Jack zijn blik haast onmerkbaar afwendde, schoot er pijlsnel iets uit diezelfde schaduw. Met een klap botste het hard tegen zijn been. Jack schrok zich wild en gilde. Hij greep naar zijn been. Terwijl hij bewoog, zag Jack in een flits een harig propje tegen de muur omhoog rennen en door het tralievenster naar buiten vluchten. Een paar zwakke zonnestralen schenen op de lange, dikke, ronde staart. Jack herkende meteen de kale, vleeskleurige rattenstaart die achter het beest aan naar buiten gleed.

Geschrokken haalde hij zijn hand van zijn been en bekeek de rode, kleverige substantie, die nu aan zijn handpalm geplakt zat. Het bloed voelde aangenaam warm. Jack keek angstig de kamer rond, om te zien of er nog meer ratten verscholen zaten. In gedachten zag hij ze al klaar staan om een volgende aanval te wagen. Hij schoof wat heen en weer

113

en schreeuwde luid om eventuele vriendjes van zijn belager te verjagen, maar vooral om ze ervan te overtuigen dat hij nog niet dood was. Uitdrukkingloos bekeek hij de kleine beet in zijn onderbeen. Het viel mee. Zijn broek had de meeste schade opgelopen. Ondanks dat hij nu al een paar dagen alleen in een bunker opgesloten zat, zonder eten en zonder zicht op bevrijding, vroeg hij zich toch af of hij hier niet een inenting voor zou moeten hebben. Niet al te lang geleden had hij stiekem Cujo op televisie gezien. Een film over een hondsdolle hond. Die was dan wel gebeten door een vleermuis, maar hij wist zeker dat ratten ook ziektes verspreidden.

Er kroop een koude rilling over zijn rug bij het idee dat hij ook nog eens hondsdolheid zou kunnen krijgen en schudde dat idee vlug van zich af. De zon kon wat hem betreft niet snel genoeg aan de hemel staan. Overdag bleven er nog maar een paar kleine schaduwen over en bovendien verdween de ergste kou wanneer de zon op de bunker scheen.

Jack wilde niet meer slapen. Afgezien van de schrik, voelde hij zich iedere keer als hij wakker werd beroerder. Zijn hoest werd bovendien ook steeds erger. Hij begon al groene klodders op te hoesten, die hij uit frustratie her en der in de bunker tegen de muren spuugde. Jack wist zeker dat hij ziek was en dan had hij nog niet eens last van die rattenbeet. Het liefst was hij weer wat rondjes gaan lopen, zodat hij het weer iets warmer zou krijgen, maar hij kon het niet opbrengen om weer op te staan. Hij wilde eigenlijk ook helemaal niet opstaan. Zijn buik deed pijn wanneer hij teveel bewoog, daarom liet hij zich doelloos op zijn zij zakken en rolde om, zodat hij op zijn rug kwam te liggen. Zijn buik kwam meteen in opstand en gaf een paar pijnlijke steken.

Jack haalde nog één keer goed zijn neus op en rochelde een flinke, groengele fluim zo ver mogelijk bij zich vandaan. Met een stille plof landde de fluim in het zand. Jammer, hij had op de muur gemikt, die tien centimeter verder stond. Ongeduldig wachtte Jack tot het eindelijk licht was.

Tijdens de ochtendevaluatie maakte Henk een enthousiaste indruk. Nog voordat iedereen zat, begon hij te vertellen over het idee dat hij die nacht gekregen had. Het werd tijd voor een andere benadering. De telefoon van Sylvia van Staveren was een BlackBerry. Hij wist dat die telefoons ingebouwde GPS hadden. Toen was hij op een idee gekomen.

'Misschien,' opperde hij gedreven aan zijn collega's, 'kunnen we aan de hand van het GPS-signaal in haar telefoon achterhalen waar ze eerder die dag geweest is.'

'Dat zou kunnen werken, als ze hem niet in de auto heeft laten liggen,' viel een andere rechercheur hem bij.

'Het is wel tijdrovend,' hielp Henk ze herinneren. 'Het is geen probleem om een GPS-signaal in realtime te vinden, dus waar een signaal op dit moment uithangt, zeg maar. Alleen nu willen we weten waar een GPS-signaal vier dagen geleden was, op een bepaalde tijd. Volgens een ruime schatting zijn we met vijf man bijna een dag bezig om alles terug te rekenen. Voor iedere seconde is een complete uitslag met resultaat nodig. Vergeet niet dat wanneer je er een minuut naast zit, en ze zit bijvoorbeeld op een snelweg in de auto, dat je zomaar drie dorpen verderop kunt uitkomen. Bovendien moeten we steeds alle uitslagen terugvertalen naar een plattegrond. Tel daarbij op dat we geen exacte tijden hebben van de ontvoering en we dus om de zoveel seconden het signaal moeten volgen. Zeg maar rustig dat het druk wordt.'

Jim twijfelde. 'Wij hebben de apparatuur daar niet voor in huis,' merkte hij op.

'Ook daar ben ik vannacht mee bezig geweest. Ik heb een beetje rondgebeld en ik weet dat er in Amsterdam een afdeling is waar ze een GPS Tracker hebben, die ook gegevens uit het verleden kan terugrekenen. De Officier van Justitie kan zorgen dat we daar ons onderzoek mogen doen.'

Jim was onder de indruk. 'Je bent écht druk bezig geweest. Goed werk, man,' zei hij trots.

'Nou, ik weet niet wie er naar Amsterdam gaan, maar het lijkt me wijs dat diegenen niet mijn naam noemen.' Henk grinnikte. 'Er waren vannacht een hoop mensen niet zo blij met me.'

'En toch mag je naar Amsterdam,' zei Jim. Een aantal rechercheurs lachte opgelucht. Jim wees meteen nog twee andere rechercheurs aan. 'Ik wilde dat we er meer konden missen, Henk, maar er zijn 1612 tips binnengekomen voor de beloning en het loopt nog steeds op. Drieënveertig van die tipgevers zijn ervan overtuigd dat ze de jongen hebben zien lopen in Maastricht. Met zo'n aantal kunnen we dat niet negeren, dus daar ligt nu de prioriteit.'

Henk keek de twee andere rechercheurs aan. 'We redden het wel, Jim. Het kost alleen tijd.'

Er werd meteen actie ondernomen. Henk en de andere aangewezen rechercheurs namen contact op met het korps Amsterdam-Amstelland, maar doordat de Officier van Justitie tot elf uur in bespreking was, kwam de officiële goedkeurig pas aan het eind van de ochtend. Verbolgen over de onnodige hoeveelheid oponthoud vertrokken ze meteen naar Amsterdam. Daar aangekomen moesten ze leren werken met het ingewikkelde programma. Ze konden pas halverwege de middag beginnen met het traceren van de GPS-geschiedenis.

Jim had de hele dag nauw contact onderhouden met Henk, die als tussenpersoon fungeerde en het bureau in Katwijk op de hoogte hield van alle ontwikkelingen.

De opluchting in Katwijk was groot, toen ze in Amsterdam eindelijk de eerste positiecoördinaten binnen hadden. Daarna ging het onverwacht aanzienlijk vlugger. Agenten en rechercheurs van het Amsterdamse korps boden na het eindigen van hun dienst hun vrijwillige hulp aan. Tot twaalf uur 's nachts had Jim alle verkregen informatie in een rapport verwerkt. Daarna meldde hij zich af voor de nacht, waarna iemand anders het rapport overnam. Jim ging naar huis om vlug nog wat slaap in te halen. Hij had die dag al vijftien uur gewerkt en was moe en afgestompt. De verwachting was dat ze rond zeven uur klaar zouden zijn met traceren. Hopelijk konden ze daarna de jongen ophalen.

## HOOFDSTUK 11

Usurpator was de hele avond bezig geweest alle feiten opnieuw door te nemen en had daardoor een flauw vermoeden gekregen waar Sylvia de jongen verstopt zou kunnen hebben.

De gevonden aanwijzing had hem aangespoord. Duinzand vond je in de duinen en cementstof kwam van beton, steen, puin en dergelijke. De enige manier waarop hij dit met elkaar kon verbinden was met bunkers, de Atlantikwall en die oude, stenen waterputten, die allemaal in de duinen aan de kust te vinden waren. Op internet had hij ontdekt dat er in de Atlantikwall ook bunkers zaten, maar dat de meeste in dit gebied te klein of al gesloopt waren. Die zou hij nu nog niet meenemen in zijn speurtocht.

Bovendien werd er een jeugdvraag beantwoord door zijn onderzoek. Toen hij vroeger met zijn ouders door de duinen wandelde, had hij zich vaak afgevraagd waar die betonnen tafels met hun stalen luik toch voor dienden. Je zag ze overal langs de schelpenpaadjes staan. Zijn vader kon hem alleen vertellen dat het waterputten waren, maar had verder geen idee van de werking of wat er onder het luik zat.

Usurpator las geïnteresseerd over de grote, betonnen waterputten. De putten waren ongeveer twee meter in diameter, maar waren van binnen te klein om iemand in te verstoppen. Het bleken verzamelputten te zijn, die waren aangesloten op leidingen die het water van de meertjes via het leidingnetwerk naar het terrein van de eindzuivering bij de watertoren transporteerden. Tot op de dag van vandaag werd op deze manier 25 miljoen kubieke meter drinkwater uit het duingebied van Katwijk gewonnen.

Usurpator knikte geboeid na het lezen. Er was weer een mysterie ontrafeld en hij wist nu in ieder geval zeker dat de jongen niet in zo'n waterput kon zitten. Hij focuste zich op de bunkers in de duinen, want bunkers waren er nog meer dan genoeg.

Hij had een paar plattegronden van internet gehaald, die de locaties van de meeste bunkers aangaven. Alleen de gebiedskeuze was nog te groot. Het gebied kon niet ver van de Zwarteweg vandaan liggen, dus bleven Katwijk en Noordwijk over. Maar omdat Sylvia een deel van haar jeugd blijkbaar in Katwijk had doorgebracht, was het aannemelijk dat ze de weg in de Katwijkse duinen beter kende dan in de duinen van Noordwijk. Wassenaar en andere kustgebieden vielen logischerwijs af. Die lagen te ver uit de buurt. Terwijl hij dat dacht, realiseerde hij zich nog iets. Die veiling op de foto van Sylvia stond in Katwijk Binnen, dus was de kans groot dat ze daar ook gewoond had.

Op die manier had Usurpator alle mogelijkheden weggestreept en uiteindelijk bleven alleen de Zuidduinen over op zijn lijst. Hij kon er onmogelijk zeker van zijn dat dit de juiste locatie was, maar je moest ergens vanuit gaan en bovendien hield hij wel van een gokje. De Zuidduinen lagen tegen Katwijk Binnen aan en daar lag ook een flink aantal bunkers. Leverde de zoektocht daar niets op, dan zou hij morgen de Noordduinen bezoeken en daarna Noordwijk. Voor het eerst kwam het goed uit dat hij geen druk sociaal leven had.

Hij had de dichtstbijzijnde bunkers omcirkeld en was van plan om deze vanavond nog met Dimorf op goed geluk te verkennen.

Tot een uur of twaalf had hij Dimorf geprobeerd te bellen, maar die was de hele tijd onbereikbaar geweest. Bij ieder telefoontje had Usurpator zich lopen opvreten. Dat Dimorf het nu, op het moment suprême, liet afweten, was haast onverteerbaar. Alles was al voorgekauwd. Zijn hele avond was er in gaan zitten en hij was er steeds meer van overtuigd geraakt dat zijn redeneringen juist waren. Door zijn enthousiasme en frustraties barstte hij van de adrenaline. Hij moest vannacht nog weten of zijn vermoedens correct waren, daarom besloot hij zelf maar op onderzoek uit te gaan. Nu nog.

Hij zocht zijn zaklamp, een grote Maglite, controleerde de batterijen, en vroeg zich af of hij touw moest meenemen. Het was onduidelijk wat hij kon verwachten. Hij wist ook niet precies wat hij eigenlijk wilde, wanneer hij de jongen had gevonden. Hij kon hem voor zichzelf houden en hem zelf opeten, maar eerlijk gezegd was hij niet zo benieuwd naar de smaak van kindervlees. Nog afgezien daarvan zou het slachten thuis moeten gebeuren en met het oog op de buren leek hem dat niet zo'n goed idee. Hij woonde in een gewoon rijtjeshuis en iemand zou dat jong ongetwijfeld horen, wanneer hij zou gaan gillen of schreeuwen.

Goed, dat was dus geen optie. Hij zou hem netjes overdragen aan het genootschap en tijdens een nieuw feest zouden ze hem eten. Maar hij niet. Nu hij President was, kon hij dit soort dingen zelf uitmaken. De volgende keer zou hij weer meedoen, als het om een mooie, jonge vrouw ging. Daar kon je toch leukere dingen mee doen.

Usurpator keek ineens bedenkelijk. Ze zouden die jongen toch niet verkrachten? Dat zou echt niet kunnen. Moord maakte hem niet zoveel uit, dat was zo voorbij, maar misbruik van een kind ging zelfs hem te ver. Dat was een kwestie van principes. Iedereen had ze, alleen verschilden ze onderling nogal.

Opnieuw besefte hij dat het genootschap een nieuwe leiding had. Hij moest nog een beetje aan het idee wennen. Accres kon zijn zin altijd zo doordrijven. Maar nu moesten ze naar hem luisteren. Wanneer hij de jongen alleen gaf om te eten, dan werd er ook alleen gegeten. Die gedachte luchtte hem op en sterkte hem in zijn keuze. Nu hij er zoveel tijd in had gestoken om de jongen te vinden, wilde hij het niet meer opgeven. Al was het alleen maar om te weten of hij de puzzel goed had opgelost.

Uit de laatste gesprekken met Henk had Jim kunnen opmaken dat de jongen inderdaad in de Katwijkse Zuidduinen was geweest. Het laatste telefoontje had nog geen exacte locatie onthuld, maar liet wel zien dat ze ergens schuin achter het terrein van de watertoren had rondgezworven.

Jim zag zijn vermoeden bevestigd dat de jongen daar ergens in één van de bunkers opgesloten moest zitten en omdat hij de omgeving daar als geboren en getogen Katwijker goed kende, had hij zijn auto halverwege de rit naar huis omgedraaid. Hij reed naar de Cantineweg, vastbesloten een poging te wagen om hem te vinden.

Voor één keer zou hij van het protocol afwijken en op eigen houtje op onderzoek uitgaan. Het zou zeker nog tot de volgende ochtend duren voordat er een opsporingsteam klaarstond. Het leek Jim onmogelijk in slaap te vallen met de gedachten dat de jongen binnen handbereik lag. En hoewel het een gok was en de kans groot was dat hij voor niets zijn kostbare slaap opofferde, leek het hem toch de moeite waard.

Halverwege de Cantineweg, ter hoogte van de ingang van de duinen, parkeerde Jim zijn auto, pakte zijn zaklamp uit het dashboardkastje en stapte uit. Hij realiseerde zich dat dit ernstige consequenties voor zijn carrière zou hebben, maar hij moest de jongen vinden. Het had al veel te lang geduurd.

Jims speurde zorgvuldig de omgeving af, maar de duisternis was te sterk voor het zwakke maanlicht. Zo zou hij niets verontrustends ontdekken, al stond het recht voor zijn neus. Een beetje gespannen liep hij het schelpenpad op. Naast zich hoorde hij krekels tjirpen en af en toe werd de rust verstoord door het krassen van een vogel, maar verder was het doodstil in de duinen.

Om geen onnodige aandacht te trekken, liet hij zijn zaklamp zo lang mogelijk uit. Met stevige pas, maar alert op het onverwachte, liep Jim richting het eerste bunkerdorp, dat bij de eerste bocht in het schelpenpaadje achter het prikkeldraad lag te wachten. Er lag een hoge heuvel voor, die het dorp verscholen hield. Jim stapte over het prikkeldraad en liep de heuvel over.

Na een minuut of vijf zoeken vond hij de eerste groep bunkers die hij wilde doorzoeken. Jim riep een aantal keer zacht Jacks naam, maar er kwam geen reactie.

De eerste bunker had geen ingangsdeur meer en Jim liep behoedzaam naar binnen, het donker in. Hij verwachtte niet in een hinderlaag te lopen, maar hield hier wel rekening mee. Zijn hand rustte op het dienstpistool, dat hij eigenlijk in zijn persoonlijke kluis op het bureau had moeten achterlaten. Slechts bij hoge uitzondering mochten rechercheurs hun wapen mee naar huis nemen, maar er was geen strenge controle op. Regelmatig vergat hij zijn wapen op te bergen en kwam daar vervolgens thuis pas achter. Vandaag kwam het hem voor het eerst goed uit.

Hij knipte de zaklamp aan en zag dat de bunker aan weerszijden twee kamers had. Beide waren, op graffiti en de geur van urine na, leeg. Jim liep haastig de bunker uit en liep naar de volgende, die recht tegenover de eerste lag.

Nadat hij weer vruchteloos Jacks naam had gefluisterd, begon hij oppervlakkig de overige bunkers te doorzoeken. Na een kwartier was hij er zeker van dat Jack zich niet in één van deze bunkers bevond en besloot hij het volgende bunkerdorp te zoeken.

Deze bunkers lagen een stuk verder weg. Jim had het schelpenpad teruggevonden en moest nu een kleine tien minuten dit pad volgen. In het donker kon hij de bunkers niet zien liggen, maar omdat hij het gebied op zijn duimpje kende, durfde hij over het prikkeldraad te stappen op de plek waar hij de bunkers ongeveer vermoedde. Hij sjokte door het mulle zand en zag aan de vegetatie dat hij op de goede plek over het draad was gestapt. Hij wist dat deze groep halverwege op een heuvel was gebouwd en speurde iedere heuvel die hij zag zorgvuldig af. In de felle straal van de zaklamp zag hij plots een smalle, bakstenen inham opdoemen. Opgelucht dat hij niet verkeerd was gelopen, knipte hij de zaklamp weer uit, om batterijen te sparen en om niet op te vallen.

Jim haastte zich door een dalletje en begon aan de zware klim omhoog, stapte op de kniehoge koningskaars die daar groeide en vertrapte de gele bloemen. Hij stond op helmgras en liep langs de vele duindoornstruiken. Toen hij het tweede dorp naderde, rees eindelijk de bruine stenen sleuf uit het groen omhoog.

Opnieuw riep Jim zachtjes Jacks naam. Doodstil wachtte hij op een reactie, maar het bleef stil.

Met samengeknepen ogen, om zoveel mogelijk in het schrale maanlicht te kunnen zien, speurde Jim de omgeving af. Hij gaf het op en knipte de zaklamp aan. Er stonden vier bunkers in het zicht. Ineens herinnerde hij zich dat er ook nog een aantal ondergrondse bunkers waren. Jim twijfelde. Eerst de zichtbare bunkers onderzoeken en daarna op zoek naar de ondergrondse? Daar had hij in het eerste dorp niet aan gedacht. Stom! Moest hij terug?

Hij stond hier kostbare tijd te verknoeien. Het ventje kon wel middenin zijn doodsstrijd zitten en hij liep hier als een amateur beginnersfouten te maken.

Een moment scheen hij besluiteloos met zijn zaklamp in het rond en hakte toen de knoop door. Eerst hier zoeken naar ondergrondse bunkers, daarna de zichtbare onderzoeken. Bleek dit niet de juiste groep, dan op naar het volgende dorp en op de terugweg zou hij het eerste dorp opnieuw doorzoeken.

Jim speurde de omgeving af naar alles wat op een bunker leek. Zijn zaklamp bescheen een stenen trap die half onder varens en struiken verscholen lag. Behoedzaam liep hij eropaf en bukte, om de overhangende struiken te ontwijken. Uit intuïtie trok hij de Walther P5 uit het holster. Met in zijn ene hand de zaklamp en in de andere zijn getrokken dienstwapen, liep hij voorzichtig op de oude stenen trap af.

'Jack!' riep hij nu iets harder. 'Jack, ik kom je halen. Niet bang zijn, ik ben van de politie.'

Usurpator griste zijn kaarten van tafel en vol goede moed trok hij even na middernacht de voordeur achter zich dicht, stapte in zijn auto en reed vanuit Voorhout naar Katwijk.

Hij parkeerde zijn auto op het parkeerterrein van de Zuidduinen, dat onderaan de heuvel van de Soefitempel lag. Opgewonden liep hij aan de rechterkant van het parkeerterrein een natuurlijk gevormd zandpaadje op. Het pad bracht hem op een oud laantje van gebarsten asfalt, vol met gaten. De laan ging na twee minuten wandelen over in een schelpenpad. Op het karakteristieke geknerp van de schelpen na, was het stil in de duinen. Usurpator had de kaarten goed bestudeerd. Hij had een vaag vermoeden waar de groep bunkers ongeveer zou moeten liggen. Geheel in lijn met zijn plattegronden nam hij nu het tweede pad links. Hij scheen met zijn zaklamp langs de begroeide bermen naast het pad. Aan zijn rechterkant ontdekte hij een mozaïek van ondiepe, rechthoekige valleitjes, met een vlakke bodem. Door een lage zanddijk werd ieder dal van elkaar gescheiden. Tijdens zijn internetspeurtocht was hij er achter gekomen dat dit historische duinakkertjes waren, die halverwege de negentiende eeuw door de Katwijkse bevolking gebruikt werden als aardappelvelden. Andere kustgebieden hadden dit ook gedaan en Usurpator wist inmiddels dat deze duinpiepers in Zandvoort nog steeds op kleine schaal in de duinen geteeld werden, als behoud van dit culturele erfgoed. Nu hij de veldjes zo zag liggen, werd hij nieuwsgierig naar de smaak. Als hij weer thuis was, zou hij eerst eens kijken of hij een zak van die aardappelen op de kop kon tikken.

Door de grote, lege vlakken bekroop hem onverwacht een hulpeloos gevoel: hij was helemaal alleen in het donker, in een voor hem redelijk onbekend gebied. Bovendien werd het ineens verdacht stil om hem heen. Zelfs de krekels maakten geen geluid meer.

Usurpator besloot om nog slechts de twee meest voor de hand liggende bunkers te onderzoeken.

Ook nu nam hij het tweede zijpad links en telde zijn stappen, tot hij voor zijn gevoel het punt op de kaart had bereikt waar hij het draad over moest, de duinen in. Dit was het stuk dat vanaf de weg het makkelijkst te bereiken was, daarom was dit zijn eerste keus. Usurpator controleerde nog een keer de kaart en was er vrij zeker van dat hij zich op de juiste plek bevond. Hij vouwde de kaart op en stak hem in zijn kontzak. Voorzichtig stapte hij over het gespannen prikkeldraad en liep het achterliggende duindal in. Met zijn zaklamp scheen hij voortdurend op de grond, bang dat hij ergens over zou struikelen en zijn nek zou breken. Na een paar minuten op goed geluk struinend door de wilde begroeiing, ving zijn lichtbundel plotseling een glimp op van een bakstenen muur en zijn hart miste een slag van enthousiasme.

Hij liep behoedzaam over het dak van een bunker totdat hij aan de zijkant een stenen trap ontdekte. Hij liep de trap af en aan de onderkant zag hij een opening van ongeveer een meter in het vierkant. Gespannen liet hij zijn zaklamp in de opening schijnen, maar hij kon niet verder kijken dan de eerste twee meter van die kamer. Hij zag wel dat de kamer nog een meter verdiept lag. Om meer te kunnen zien, zou hij erin moeten springen en daar baalde hij van. Usurpator vermande zich en keek nog één keer vluchtig om zich heen, voordat hij door zijn knieën zakte en met zijn handen steun zocht, zodat zijn kleding schoon bleef. Daarna sprong hij onhandig de bunker in.

Nu hij er middenin stond, verlichtte zijn lamp de lege kamer prima en nu zag hij ook een aangrenzende kamer. Hij liep ernaartoe en scheen naar binnen. Deze kamer had tralies in een raamgat en er hingen haken aan het plafond. Usurpator gruwde bij het vermoeden wat daar ooit het doel van was geweest.

Gehaast liep hij door en voordat hij er erg in had, stond hij alweer buiten. Aan de andere kant van de bunker zat een grote ingang, die hij door het donker gemist had. Hij vloekte binnensmonds. Geïrriteerd zocht hij naar een volgende bunker. Volgens zijn documentatie moesten er zeker nog vier in de buurt zijn.

Hij speurde met zijn zaklamp de omgeving af, maar er was niets te zien. Hij besloot een willekeurige kant op te lopen. Na een minuut flink stoeien met de venijnige stekels van de vele onvriendelijke struiken, kwam hij tot de conclusie dat hij toch verkeerd was gelopen. Hij probeerde in het donker de weg terug naar de doorzochte bunker te vinden.

'Dit is hopeloos,' fluisterde Usurpator hoofdschuddend om de stilte te doorbreken. 'Ik kan beter morgenochtend bij daglicht gaan kijken. Die paar uurtjes maakt nu ook niets meer uit. Ik zie geen hand voor ogen.'

Hij draaide zich met een ruk om en zette woest, zonder met de zaklamp naar de grond te kijken, een paar stappen in de richting van waar hij het schelpenpad vermoedde. Hij struikelde al bij de derde stap over een wortel en viel voorover. Van schrik liet hij de zaklamp los.

Toen hij op de grond lag en zijn ogen weer opende, was het eerste dat hij zag de gevallen zaklamp. De lichtbundel scheen onder een grote struik door, op een stenen muur. Usurpator keek naar de traptreden, die half onder de bosjes verscholen lagen en begroeid waren met varens en mos. Dit was te mooi om waar te zijn. Het leek wel een scène uit een film.

Jack schrok wakker. Buiten de bunker klonk geritsel van bladeren. Een mannenstem fluisterde zijn naam. Versuft sloot hij zijn ogen weer. Hij droomde weer van zijn vader. Die kon hem nu echt elk moment komen halen.

Zijn lichaam was steenkoud en hij voelde zijn benen niet meer. Zijn lippen waren door de droogte gebarsten. Als hij zijn tong over zijn lippen haalde, proefde hij bloed. Bovendien was hij moe. Zo verschrikkelijk moe. Hij had geen energie meer om iets terug te roepen.

Onder de kier van de deur zag hij een smalle strook licht dansen. Daar was zijn vader al! Fijn, dan kon hij nog even gaan slapen. Dan voelde hij de kou niet zo.

Jim richtte zijn zaklamp het donkere gat in. Onderaan de trap bleek een smalle gang te liggen, met aan weerszijden een aantal openingen die naar kamers leidden of een nieuwe gang werden. De lichtstraal bleef hangen op een stok die bij de enige deur in de gang stond. De steel was in het zand gestoken, terwijl het stalen oog voorkwam dat de zware deurhendel naar beneden geduwd kon worden.

Ongerust, maar opgewonden door de gebarricadeerde deur, begon Jim Jacks naam steeds luider te roepen. Veel te haastig wilde hij de trap afdalen, maar gleed uit over het mos dat op de treden groeide en door de morgendauw nat en glibberig was geworden. Hij viel achterover, gleed over de treden naar beneden en belandde met een plof in het zand dat door de hele gang verspreid lag. *Fijn duinzand en betonstof!* schoot er door zijn hoofd.

Jim had geprobeerd zijn val met zijn ellebogen op te vangen, zodat de lamp en het pistool beiden intact bleven. Zonder lamp zou alles ineens een ander verhaal worden. Hij betwijfelde of hij in het donker de weg terug naar het schelpenpad zou kunnen vinden. Vlug krabbelde hij overeind en bekeek zijn geschaafde armen en ellebogen. Hij had gelukkig niets gebroken.

Haastig liep Jim op de deur af en trapte de stok doormidden. Met bonkend hart duwde Jim de roestige hendel naar beneden en trok de zware, stenen deur naar zich toe. Meteen drong de stank van ontlasting zijn neus binnen. In het midden van de bunker lag een klein ventje in het zand, op de grond. De kamer was voor de rest leeg. Op zijn hoede inspecteerde Jim vlug de rest van de bunker. Toen hij zeker wist dat hij alleen was, stak hij zijn pistool terug in het holster en haastte zich terug naar de kamer waar de jongen lag. Hij knielde naast Jack en schudde hem zachtjes heen en weer. Het lichaam van de jongen was ijskoud. Hij werd maar niet wakker. Jim moest zichzelf dwingen om twee vingers in de hals van de jongen te leggen en zijn hartslag te controleren. Toen zijn vingers de koude nek raakten, vreesde Jim dat hij het antwoord al wist. Opgelucht voelden zijn vingers een zwakke, maar regelmatige hartslag.

'Godzijdank!'

Zonder te twijfelen, trok Jim zijn jas uit en wikkelde de onderkoelde jongen erin. Op dat moment opende Jack langzaam zijn ogen.

'Jij bent niet mijn vader.' Zijn stem klonk broos en vermoeid.

'Ik ben van de politie. Ik kom je redden.'

'Gaan we naar papa?'

Het was even stil, Jim zocht naar de juiste woorden. 'Ik haal je hier weg en dan zoeken we je familie.'

'Graag,' mompelde Jack, terwijl hij zijn slappe armpjes om de grote man heen sloeg.

Jim tilde hem op. Met één arm droeg hij de magere jongen, terwijl hij met de andere de zaklamp vasthield. Jack liet zijn hoofd op Jims schouders rusten en sloot zijn ogen. Jim drukte Jack stevig tegen zich aan en liep naar de deur. Hij draaide zich nog een keer om. Zijn blik bleef hangen op de tas die bij de muur stond, de fles die op de grond lag en de ontlasting die in een hoek lag. Hij schudde zijn hoofd vol walging en draaide zich om. Hij wilde hier zo snel mogelijk vandaan. Voorzichtigheidshalve klemde hij de zaklamp tussen zijn tanden en schudde de mouw van zijn trui over zijn hand, en veegde daarmee de deurkruk schoon. Tegelijkertijd schopte hij met zijn schoenen wat zand over zijn voetsporen. Toen haastte Jim zich terug naar de parkeerplaats.

Usurpator krabbelde overeind en greep de zaklamp stevig vast. Behoedzaam zette hij een stap naar voren en liet de lichtstraal langzaam de trap verkennen. Usurpator kneep zijn ogen tot spleetjes en probeerde te ontdekken wat het was, dat onderaan aan de trap lag te glinsteren. Het was niet goed te zien vanaf boven, dus hij moest de trap af.

De treden waren bedekt met vochtig mos. Zo voorzichtig mogelijk schuifelde hij voetje voor voetje de trap af. Toen hij zonder kleerscheuren beneden was gekomen, viel hem pas de smerige lucht op die beneden hing.

Nieuwsgierig geworden door de afschuwelijke geur scheen Usurpator een lichtje op de openstaande betonnen deur vlak voor hem. Het glinsterende ding op de grond zou hij zo wel bekijken. Haastig liep Usurpator naar het eerste vertrek. De vieze walm van fecaliën drong zijn neus binnen en onwillekeurig trok hij een walgende grimas. Met de zaklamp scheen hij de kamer rond en zag dat één van de hoeken een tijdje als toilet was gebruikt. In het midden van de kamer lag een verfrommelde plastic tas op de grond, ernaast lag een prop aluminiumfolie en verderop een lege plastic colafles. Er was geen echt bewijs dat de jongen hier geweest was, maar voor Usurpator was dit genoeg bewijs. Als er een zwerver was die dit thuis noemde, dan had deze hier nu wel liggen slapen of had er op zijn minst iets van een slaapzak of een oude matras gelegen. Bovendien zou zelfs een zwerver zijn slaapkamer niet als toilet gebruiken. Een junkenhol zou nog kunnen, maar daarvoor lag het te afgelegen. De jongen was dus weg. Niet gevonden door de politie wist hij, want dan had de bunker net zo vol politielinten gehangen als Sylvia's huis. Vreemd. Was hij toch nog te laat! Teleurgesteld liep hij de kamer uit en zocht naar het glimmende object dat beneden aan de trap lag. Toen hij voorover bukte om het op te rapen, zag hij dat het een geplastificeerd pasje was. Het politielogo lag verscholen onder het zand. De pas zag er verder schoon uit en lag er dus nog niet zo lang.

Usurpator wist niet precies wat hij verwachtte toen hij de pas omdraaide, maar hij was in geen geval voorbereid op wat hij te zien kreeg.

Aangekomen bij zijn auto, legde Jim de jongen voorzichtig op de achterbank. Jack voelde inmiddels iets warmer aan. Jim sloot zachtjes het portier en ging achter het stuur zitten. Er schoten duizend gedachten tegelijk door zijn hoofd.

De jongen zag er zo kwetsbaar uit, dat Jim het nog niet over zijn hart kon verkrijgen om hem nu al aan de afstandelijke zorg van de kinderbescherming over te dragen.

'Wij, kleine man, gaan eerst ergens anders naar toe. We kunnen altijd nog naar het bureau. Mijn carrière krijgt nu toch al een douw.' Jim pakte een flesje warm geworden water uit het dashboardkastje van zijn auto. Hij gaf het aan Jack in de hoop dat hij iets wilde drinken.

Jack knikte en begon gulzig te drinken. Hij verslikte zich en begon te proesten, waardoor het water langs zijn kin liep. Na een voorzichtige tweede poging, pakte Jim het lege flesje van hem aan. Jack liet zich zachtjes achterover vallen en doezelde bijna meteen op de achterbank in slaap.

Jim zat besluiteloos in de auto en dacht na. Hij keek nog één keer achterom, naar het slapende mannetje en startte toen zijn auto. Vastbesloten reed hij naar huis.

Hij wist dat zijn vrouw allang in een diepe slaap verzonken was. Ze had een hekel aan de lange dagen en onregelmatige uren en Jim wist van zichzelf dat hij vaak wat chagrijnig was door de druk. Daarom zorgde ze ervoor dat ze aan het einde van een ingewikkelde zaak altijd vroeg op bed lag, zodat ze elkaar een beetje ontliepen en zo de lieve vrede in huis bewaarden.

Jim tilde de slapende jongen uit de auto en maakte Jack zo per ongeluk wakker. Gelukkig waren lang niet alle zaken zo ingewikkeld als deze.

Met de jongen in zijn armen liep Jim achterom, de keuken van zijn huis in. Voorzichtig zette hij Jack op één van de houten keukenstoelen.

Jim trok een lade onder het roestvrijstalen aanrechtblad open en haalde er een groot, vlijmscherp slagersmes uit. Hij draaide zich om naar de hulpeloze jongen en liep een paar stappen op hem af. Met het mes in zijn handen knielde hij naast de jongen en met zijn vrije hand tilde hij Jacks hoofd iets omhoog, waardoor ze elkaar nu recht in de ogen keken.

'Heb je honger?' vroeg hij bezorgd. 'Er ligt nog een grote lap biefstuk in de koelkast, ik snij zo een stuk voor je af en maak het voor je klaar.' Ondertussen zwaaide hij met het mes en wees ermee naar de koelkast.

'Nee, dank u. Geen honger,' mompelde Jack.

'Zeker weten? Je moet iets eten, daar knap je van op. Biefstuk zit vol ijzer en is goed voor je.'

'Nog iets te drinken, graag.' De woorden kwamen raspend over zijn lippen.

'Natuurlijk.' Jim legde het mes terug in de la en pakte vlug een glas, dat hij vulde met water.

Nadat Jack het glas helemaal leeg gedronken had, pakte Jim de jongen uit de stoel en legde hem op de bank om te rusten. Jack sloot bijna onmiddellijk zijn ogen.

Jim haastte zich de trap op naar boven en liep naar de slaapkamer. Gespannen schudde hij zijn vrouw wakker. Hij vond het moeilijk te voorspellen hoe ze zou reageren.

'Anne, word eens wakker,' fluisterde hij, zodat ze niet schrok. 'Anne, doe je ogen eens open,' zei hij nu iets harder.

Slaapdronken opende ze haar ogen en keek verbaasd en zelfs een beetje geschrokken naar haar man. Dit was voor zijn doen hoogst ongewoon en ze voelde dat er iets vreemds in de lucht hing. In eerste instantie dacht ze dat er iets ergs was gebeurd, maar op Jims gezicht stonden andere emoties te lezen. Hij had een vreemde, opgewonden blik. Hij wil nu toch geen seks, schoot het door haar hoofd.

'Wat is er?' vroeg ze behoedzaam.

'Ik… Je moet even mee naar beneden komen. Ik kan het niet uitleggen.'

Hij trok haar liefdevol uit bed. Ze kon nog net haar badjas van de haak grissen, voordat hij haar aan haar handen naar beneden leidde. Op hun bank lag een mager, vies, stinkend jongetje te slapen. In een flits voelde ze iets van afkeer, maar meteen daarop nam haar moederinstinct het roer over.

'Waar komt hij vandaan?' vroeg ze, terwijl ze voorover bukte en instinctief zijn voorhoofd voelde. Zonder op antwoord te wachten, vervolgde ze: 'Hij heeft koorts, hij moet naar bed.'

Jim bukte en pakte Jack op. Hij bracht de jongen naar de logeerkamer en legde hem daar op bed. Ondertussen liet Anne een emmer met warm water vollopen en voegde een flinke scheut douchegel toe. Ze trok een washandje uit de kast, zocht vlug de thermometer en haastte zich naar de logeerkamer.

Ze keek bezorgd toen ze zag dat de digitale oorthermometer 39,5°C aan gaf.

'We gaan jou eerst even toonbaar maken, voordat we de dokter voor je bellen,' zei ze.

Nu keek Jim bezorgd. 'Lieverd, je begrijpt toch dat dit het jongetje uit het onderzoek is? Niemand mag nog weten dat hij hier is. We moeten zelf iets verzinnen.'

'Onzin,' beet ze hem toe. 'Hij heeft een dokter nodig.' Ze dacht even na. 'Ik zeg gewoon dat het Erik is. Als ik de dokter uitleg dat hij de enige zoon van mijn jongste zus is, die hier een paar dagen logeert omdat zijn ouders op vakantie zijn, dan komen we daar wel mee weg. Ze zijn ongeveer even oud.'

'Straks herkennen ze hem van televisie?'

'Nu hij zo ziek is, lijkt hij voor geen meter meer op de foto's die ik heb gezien.'

Ze wist dat ze gewonnen had toen ze haar man moegestreden hoorden zuchten en het stil werd. Nu bad ze dat ze gelijk had en dat hun huisarts het hele verhaal zou slikken.

De huisartspraktijk was die nacht gesloten en Jim en Anne werden telefonisch doorverwezen naar de dokterspost. Daar slikten ze het verhaal over kleine neef Erik, die al niet lekker was toen hij kwam logeren, als zoete koek. Jim moest zijn verzekeringspasje laten zien en daarop werd de jongen geholpen. De diagnose luidde zware longontsteking en koorts. Kleine Erik kreeg bedrust en een antibioticakuur voorgeschreven. Nadat ze de behandelend arts hadden verzekerd dat ze de kuur af zouden maken, mochten ze weer naar huis.

Thuis gekomen haalde Anne opgelucht adem. 'Ik ben blij dat hij niets ernstigs mankeert.'

'Ik ben vooral blij dat alles zo goed ging,' reageerde Jim droog. 'Je weet dat we hem niet mogen houden en moeten overdragen aan de instanties?'

'Als dat al die tijd je plan was, waarom bracht je hem dan naar ons huis? Als ik me niet vergis is het protocol dat de jongen, onder begeleiding, in een ambulance naar het ziekenhuis had gemoeten voor onderzoek. Bovendien ben je alleen op pad geweest, wat ook streng tegen de regels is. Je hebt niets gemeld en je bent bewust niet naar het bureau gegaan. Je bent iets van plan, Jim Nieuwpoort!'

'Ik was je aan het polsen. Ik ken een aantal mensen die me nog wat verschuldigd zijn en ons hiermee kunnen helpen. Maar we moeten eerst wachten tot dit een beetje is over gewaaid. Tot die tijd moeten we hem een beetje uit het zicht houden.'

'Ik weet waarom je dit hebt gedaan.'

'We wilden zo graag kinderen. Ik heb altijd het gevoel gehad dat ik gefaald heb, omdat ik je niet heb kunnen geven, wat we beiden zo graag wilden.' Jim keek beschaamd naar de grond. De laatste woorden waren haast mompelend over zijn lippen gekomen.

Anne sloeg geschokt een hand voor haar mond. 'Ben jij besodemieterd?' riep ze ontzet. 'Hoe kom je bij die onzin? Ik heb nooit het gevoel gehad dat je gefaald hebt. Het lag aan ons beiden. Dat weet je toch? Bovendien hebben we het goed samen.' Ze haalde haar schouders op en keek Jim liefdevol aan. 'Adoptie wilden we niet en toen we ons bedachten, waren er al teveel jaren verstreken. Het leven is zoals het komt.'

Jim keek haar schuchter aan. 'Ik hou nog steeds zielsveel van je. Net zo veel als in het begin. Misschien nog wel meer. Als dit voortijdig uitkomt, zit ik in grote problemen. Dan draai ik hiervoor misschien wel de bak in.'

Anne knikte langzaam. 'Misschien kunnen we in de tussentijd iets verzinnen om wat tijd te winnen? Hoe dan ook, we komen er wel uit,' zei ze. Haar ogen groeven zich diep in de zijne en ze glimlachte liefdevol naar hem.

'Ik moet je wel vertellen wat er allemaal aan de hand is. De jongen is ontvoerd, nadat iemand zijn vader vermoord heeft. Zijn moeder is al een aantal jaren eerder overleden en zelfs zijn grootouders zijn eergisteren vermoord. Er is verder geen familie meer. Hij heeft nog geen idee dat hij helemaal alleen is.'

'Maar dat is verschrikkelijk!' riep Anne ontzet. 'Dan moeten we zeker iets doen voor hem. Misschien kan het bureau ons zelfs wel helpen. Het moet toch wel iets betekenen dat je voor Justitie werkt? Je werkt al meer dan dertig jaar voor de politie en je hebt een onberispelijke staat van dienst!'

'Ik hád een onberispelijke staat van dienst. Je wilt niet weten hoeveel regels ik nu aan mijn laars heb gelapt. Ik heb de gezondheid van een kind in gevaar gebracht, door het protocol niet te volgen. En dan heb ik het nog niet eens over het feit dat ik onderzoeksinformatie gebruikt heb voor privédoeleinden en dat ik links en rechts het onderzoek een beetje heb belemmerd. Nee, schat, als ze hier achterkomen, dan knopen ze me op aan de hoogste boom.'

# De zesde dag

**H**et geluid van een brullende leeuw haalde Dimorf ruw uit zijn slaap. Verbaasd keek hij naar de lichtgevende cijfers op zijn wekkerradio. Het was pas vijf uur 's morgens. De ellende begon vandaag al vroeg.

Hij griste de telefoon van zijn nachtkastje.

'Wat is er?'

'Dimorf, met Usurpator. Heb je tijd om straks af te spreken?'

'Dat moet wel lukken. Wat is er? Je klinkt zo gespannen.'

'Ik ben gisteren zelf nog op onderzoek uitgeweest en ik heb wat dingen ontdekt.'

'Wat bedoel je?'

'Ik moet een paar dingen van je weten. Kun je om half zeven in de schuur zijn?'

'Als ik een beetje opschiet moet dat wel lukken. Moet ik me ergens zorgen over maken? Je verontrust me een beetje.'

Maar Usurpator had inmiddels al opgehangen en liet Dimorf nu met een gemengd gevoel achter. Met tegenzin hees Dimorf zich uit bed en sleepte zich naar de badkamer om zich klaar te maken voor de rit naar het oude schuurtje.

Netjes op tijd zat Dimorf gespannen in het oude schuurtje op Usurpator te wachten. Voor alle zekerheid hield hij onder de tafel een taser in zijn hand. Er was blijkbaar iets gebeurd en daardoor was het onduidelijk hoe dit gesprek ging verlopen. Vreemd, want eerder leek het wel aardig te klikken, dacht hij.

Er kwam een auto aanrijden en even later zwaaide de deur van het schuurtje open. Usurpator stapte binnen en keek Dimorf gespannen aan.

'Luister,' zei Usurpator direct. 'Voordat ik je vertel wat ik heb ontdekt, moet je weten dat ik je aanwezigheid in het genootschap erg op prijs ben gaan stellen. Zeker de laatste tijd.'

Het viel Dimorf op dat Usurpator de hele tijd zijn handen in de zakken van zijn jas hield, alsof hij iets verborgen hield. Dimorf richtte de taser zo onopvallend mogelijk.

'Daar ben ik blij om,' antwoordde Dimorf terwijl er in zijn achterhoofd een kakofonie aan alarmbellen rinkelden. 'Wat heb je dan ontdekt?'

Usurpator trok langzaam één van zijn handen tevoorschijn. Hij had een kaartje in zijn hand. Dimorf dacht de afleidingsmanoeuvre te doorzien en concentreerde zich meteen op de andere hand. Zijn vertrouwen in Usurpator was de afgelopen seconden flink gedaald. Dimorf zag hoe de verborgen hand zich spande in zijn jaszak en was er vrij zeker van dat er in die hand een wapen school. Maar hij zag ook aan de stand van de hand, dat het wapen nog niet op hem was gericht.

Doordat hij zijn aandacht een moment te lang op de verborgen hand had gericht, zag hij te laat dat Usurpator het kaartje naar hem toe gooide. Dimorf schrok van deze onverwachte beweging en haalde van schrik bijna de trekker van de taser over.

Ik word echt te oud voor deze gekkigheid, realiseerde hij zich geschrokken.

Het kaartje gleed ronddraaiend over de tafel en belandde precies voor zijn neus. Dimorf staarde stomverbaasd naar de foto die op het pasje stond. Zijn foto en zijn naam stonden op dit plastic kaartje.

'Reageer niet te overhaast, Jim Nieuwpoort,' zei Usurpator behoedzaam.

Er schoten duizend gedachten door Jims hoofd. Hij kon nu de trekker overhalen en Usurpator laten verdwijnen. Waarom liet Usurpator hem dit zien? Waarom werd hij niet in een hinderlaag gelokt om zelf te verdwijnen? Of om gegeten te worden? Als het genootschap zich tegen hem keerde, dan was het een koud kunstje voor ze om hem te pakken te nemen.

Plots realiseerde hij zich dat hij al een aantal seconden strak naar de pas staarde. Hij keek langzaam op en verwachtte half dat hij een klap tegen zijn hoofd zou krijgen of op zijn minst onder schot gehouden zou worden. Jim keek Usurpator aan, die gespannen op zijn reactie wachtte.

'Waar heb je die vandaan?' vroeg Jim voorzichtig.

'Uit de bunker waar de jongen zat. Hij lag daar op de grond.'

Jim kon zijn stommiteit maar moeilijk geloven. De pas was waarschijnlijk uit zijn jaszak gevallen toen hij van de trap gleed, of misschien wel toen hij zijn jas om de jongen had geslagen. Hij had om zich heen moeten kijken. Een onvergeeflijke, stomme fout. Hij had de pas moeten zien liggen. Plots drong tot hem door wat Usurpator gezegd had.

'Wist jij dan de hele tijd waar de jongen zat?' vroeg Jim.

'Nee, maar nu wel. Bedankt voor je reactie.'

Jim vloekte inwendig. Ik kan beter dan dit. Wat heb ik toch?

'Wat wil je?'

'Ik wil weten of je nog te vertrouwen bent?'

'Je weet nu wie ik ben. Wat is er verder nog veranderd?'

'Doe niet zo naïef. Je bent een smeris. Een rechercheur notabene. Misschien ben je wel undercover?'

Jim keek Usurpator vragend aan. 'Wie is er nu naïef? Als ik undercover was, dan had ik toch niet actief deelgenomen aan de seks en het eten tijdens de feesten?'

'Misschien om jezelf niet te verraden?'

'Als je dat denkt, dan begrijp je niets van het Nederlandse rechtssysteem.'

'Met de straffen die ze tegenwoordig uitdelen, kun je dat wel zeggen,' glimlachte Usurpator.

'Ik was niet in functie op de momenten die ik bij het genootschap was.'

'Goed, dat was mijn grootste angst. Ik waarschuw je: als je denkt me te kunnen pakken, dan sleur ik je mee in mijn val.' Usurpator keek Jim een paar tellen strak aan en ontdooide toen. 'Maar als je niet in functie was, dan is er wat mij betreft niets veranderd. Het maakt me niet uit wie je bent of wat je doet. Ik ben alleen benieuwd wat je met de jongen hebt gedaan.'

'Oké, dat is redelijk. Wil je de jongen hebben?'

'Ik wil graag weten wat jij met hem wilt.'

'Mijn… vrouw. Hij is voor mijn vrouw.'

Usurpator trok oprecht een verbaasd gezicht. 'Om te eten? Maar je komt altijd alleen.'

'Nee!' Jim schrok. 'Wij hebben geen kinderen. Mijn vrouw hoopt dat ze hem kan houden.'

'Als een puppy?'

'Nou ja, het zal wel voor een paar praktische problemen zorgen.'

'Dit doe je voor je vrouw?'

'Ook voor mezelf, denk ik. Anders was ik hem niet alleen gaan zoeken en had ik hem nooit mee naar huis genomen. Je was er niet bij, maar hij zag er zo… klein en breekbaar uit in die bunker. Ik moest hem wel meenemen.'

Na een korte stilte begon Usurpator zachtjes met zijn hoofd te knikken en gaf het verlossende antwoord. 'Gelukkig. Het was sowieso mijn plan niet om een kind te ontvoeren en te eten.'

'Jullie kwamen toch samen met dat idee aan,' hielp Jim hem herinneren.

'Weet je wat het is? Ik ben zelf meer van de jonge vrouwen. Ik vind dat je van kinderen moet afblijven, maar Accres... Ach, wie hou ik voor de gek. Hij heeft me geld gegeven om akkoord te gaan. Bovendien kwam het plan van een aantal leden uit de achterban.'

Jim knikte bedenkelijk. 'Had hij je geld gegeven? Eerlijk waar?'

'Hij wilde het echt erg graag en ik heb links en rechts wat schulden, dus ik kon het goed gebruiken. Enfin, dat is nu allemaal voorbij.'

'Inderdaad. Dit was echt verkeerd en meteen een wijze les voor de toekomst. Wapens op tafel?'

Usurpator twijfelde even, maar knikte toen. Hij haalde een geel, plastic waterpistooltje uit zijn jaszak en legde het overdreven voorzichtig op de tafel. Jim had de taser al in zijn hand en keek vermakelijk.

'Maak je nou een geintje?' vroeg hij verbaasd.

Usurpator haalde zijn schouders op. 'Ik ben geen smeris. Ik heb thuis geen wapens. Voor de buurt ben ik een doodnormale accountant die weleens een gokje waagt.' Usurpator stak zijn hand uit. 'Mijn naam is Franklin.'

Jim schudde zijn hand. 'Jim, maar dat wist je al. Ik hoor vaag een Leids accent?'

Franklin glimlachte. 'En toch kom ik niet uit Leiden. Maar waar ik woon is niet zo belangrijk, toch?'

'Nee, dat is waar. Maar ik dacht; jij weet al zoveel over mij...'

Franklin grijnsde. 'Voorlopig houden we dat maar eventjes zo.'

Jim staarde strak naar het zwarte asfalt dat onder zijn wagen door schoot. Dit was dus het moment waarop alles als een kaartenhuis in elkaar donderde. Jim baalde dat hij de regie niet meer in handen had. Door zijn eigen schuld, notabene! Woedend sloeg hij op het stuur, toen de Nokia tune hem deed opschrikken. Het liefst had hij de beller weggedrukt, maar omdat het Henk was, nam hij op.

'Henk, waar staan we?'

'Goed nieuws! We zijn eruit!'

Jim kromp in elkaar. 'Dat is fantastisch!' Hij probeerde net zo opgewekt te klinken als Henk.

'Het was een ingewikkeld programma en we hebben een beetje lopen kloten in het begin, maar het is gelukt! We hebben het GPS-signaal helemaal kunnen traceren. We weten nu precies waar ze geweest is. Over twee uur zijn de teams compleet en vertrekken we. Het is jammer dat we niet meteen op pad kunnen, maar we nemen gelijk een onderzoeksteam en honden mee.'

'Ja, dat is beter. Zo kun je meteen actie ondernemen als de jongen verplaatst is.'

'Precies! Als je wat van de papierwinkel wilt vermijden, zorg je dat je pas om half negen op het bureau bent. Niet later, want alles heeft al lang genoeg geduurd.'

'Nee, ik ben op tijd. Is verder alles al geregeld?'

'Nou, er wordt aan gewerkt, maar het wachten is zoals altijd op de officier van Justitie.'

'Het zal eens niet zo zijn. Met hoeveel man gaan we de duinen in?'

'Veertig man, wat vrijwilligers en tien honden.'

Jim werd beroerd bij de gedachte aan al dat verspilde belastinggeld.

'Kan ik verder nog iets doen?'

'Neem straks je speurneus maar mee.'

'Grappig.'

'Wat klink je trouwens hol. Sta ik op handsfree? Zit je al in de auto?'

Shit! Jim dacht bliksemsnel na. 'Ja, dat klopt. Ik moest Anne even wegbrengen.'

'Ah, vandaar. Ik zie je straks.' Jim verbrak gauw de verbinding en staarde naar de telefoon in zijn hand. Dat was weer op het nippertje. En het werd nog erger. Wanneer ze straks de bunker inliepen moest hij doen alsof zijn neus bloedde. Dat zou niet gemakkelijk worden. Hij hoopte dat deze dag vlug voorbij zou zijn. Hij had zich aardig in de nesten gewerkt.

Jack werd wakker in een bed. Zijn hele lichaam deed pijn en hij was misselijk. Hij kon zich niet herinneren hoe hij uit de bunker was gekomen, maar hij was opgelucht dat hij niet meer op het koude beton lag. Het bed was warm en behaaglijk. Naast zijn bed stond een nachtkastje met een glas water erop. Dankbaar dronk hij het glas in een paar slokken leeg en luisterde daarna naar de raspende ademhaling die hij zelf produceerde.

Nieuwsgierig keek hij de kamer rond. Het was een kleine slaapkamer met zachtgele muren. Er stond een bureautje met een televisie recht tegenover hem en erboven zat een klein raam. De gordijnen waren open en hij zag een stralend blauwe hemel, dus het was in ieder geval overdag. Gefascineerd staarde hij door het raam. Het was een heerlijk gevoel om geen tralies voor de blauwe lucht te zien.

Hij hees zich moeizaam overeind en begon meteen hard te hoesten, waardoor alles om hem heen begon te draaien. Met een harde bons viel Jack uit bed.

Vrijwel meteen sloeg de deur van de slaapkamer open en snelde er een oudere vrouw op hem af. 'Ach, lieve knul, wat doe je nu op de grond?' Ze knielde voorzichtig naast Jack en hielp hem terug in bed. 'Je bent veel te ziek om uit bed te komen.'

Jack keek haar aan en las de bezorgdheid in haar ogen. 'Waar ben ik?' vroeg hij moeizaam.

'Mijn man heeft je gevonden. Hij is van de politie. Toen ze ontdekten dat je weg was, nadat...' Ze sloeg geschrokken een hand voor haar mond.

'Nadat wat? Waar is m'n vader?' vroeg Jack.

Anne wist niet wat ze moest zeggen. Er schoten allerlei tegenstrijdige gedachten door haar hoofd. Hij moest het weten. Vroeg of laat zou hij er toch achterkomen, maar nu was hij nog zo zwak.

'Waar is m'n vader?' vroeg Jack nu iets dwingender.

Hij kon het maar het beste van iemand horen die hem zou troosten en vasthouden. Hij kon het maar het beste van haar horen.

Anne ging op de rand van het bed zitten en pakte zijn handen vast. 'Jack, er is iets verschrikkelijks gebeurd.'

Ondanks dat de tips over Maastricht niets hadden opgeleverd en zelfs voor nog meer vragen hadden gezorgd, heerste er een opgewonden stemming op het politiebureau Katwijk. De instructies voor de zoektocht waren doorgenomen en iedereen was zich nu aan het voorbereiden. Over een uur zouden ze in de Katwijkse Zuidduinen lopen. Jim en Henk zaten met zijn tweeën aan de tafel in de overlegruimte. Met beide handen omsloot Jim zijn kop koffie en keek peinzend naar Henk, die druk bezig was papieren te ordenen.

Jim vroeg zich af of en hoeveel hij Henk zou moeten vertellen over de schaduwontwikkelingen in de zaak.

De rustige stem van Henk verbrak de stilte en daarmee Jims overpeinzingen. 'Ik ben blij dat we eindelijk echt iets kunnen ondernemen. Het is toch mooi dat we tien honden hebben weten los te krijgen.'

Razendsnel nam Jim een beslissing. Henk was zijn vriend. Daarom mocht hij Henk er niet bij betrekken. Hij zou niets vertellen. 'Ja, dat is zeker mooi. Het wordt pas rond tien uur donker, dus we hebben genoeg tijd om elke bunker daar te doorzoeken en binnenstebuiten te keren.'

Terwijl hij dat zei, voelde hij zich opgelucht dat Usurpator zijn pas op tijd gevonden had. Hij kon zich niet voorstellen hoe hij dat op een geloofwaardige manier had kunnen verantwoorden. Plots schoot hem te binnen dat hij zijn voetsporen en vingerafdrukken had gewist. Hij hoopte dat Usurpator hetzelfde had gedaan.

Henk vervolgde: 'Ik heb een kaart van elke bunker in het gebied. En tekeningen van elk type bunker, zodat we naar verborgen kamers kunnen zoeken.'

'Mooi. Shit, ik ben mijn medicijnen vanmorgen vergeten in te nemen. Die mag ik niet overslaan. Ik race gauw even naar huis.' Jim stond op en liep naar de deur.

'Medicijnen?'

'Ja, joh.' Jim maakte met zijn handen een wegwerp gebaar. 'Voor mijn rikketik.'

'Jij vertelt tegenwoordig ook niets meer.'

'Nee, dan ga je weer bezorgd lopen doen.'

'Sorry dat ik je graag mag. Schiet nou maar op. Over een half uur gaan we weg!' riep Henk. 'Zorg dat je niet te laat terug bent!'

Jim haastte zich naar buiten. Zodra hij het buitenterrein opliep, belde hij Usurpator.

'Ik hou het kort. Heb je al je sporen uitgewist in de bunker?'

Het was even stil aan de andere kant van de lijn. Usurpator dacht na.

'Nee, ik heb de pas opgeraapt en daarna heb ik in de kamer gekeken. Maar ik heb niets aangeraakt.'

'Weet je dat zeker?'

'Ja, ik was heel voorzichtig.'

'Ook niets verloren?'

'Ik had mijn politiepas thuis gelaten en verder had ik niets bij me.'

'Grappig,' antwoordde Jim vlak. 'Begraaf voor de zekerheid je schoenen, koop nieuwe en ga er niet meer naar toe. Bel me vooral niet. Ik bel jou binnenkort wel.' Jim verbrak de verbinding.

Het liefst zou hij naar de duinen gaan om het onderzoek te manipuleren door iets in de bunker te leggen wat iedereen de verkeerde kant op zou wijzen. Maar met die honden erbij zou dat niets worden. Dat had hij dus eerder moeten doen, want nu zou zijn geur te vers zijn en meteen worden opgepikt door de honden. Binnen vijf seconden zouden ze hem grijpen.

Jim stapte in zijn auto en reed vlug naar huis. Dat was in ieder geval iets waar hij niet over had gelogen. Hij moest eerst die medicijnen innemen.

Jacks grote ogen hielden de gepijnigde blik van Anne vast. 'Mijn vader is gewond, hè?' vroeg hij geschrokken.

Ze zag een traan over zijn wangen biggelen. 'Het spijt me zo,' zei Anne en kneep liefdevol in zijn handen.

'Is… is mijn vader dood?'

Ze knikte langzaam. Ze liet zijn handen los en trok hem voorzichtig tegen haar borst.

De stilte die door die kennis ontstond, leek oorverdovend en hoewel zijn eerste tranen geruisloos waren, begon hij nu zachtjes te snikken. Jack opende zijn mond en liet een hartverscheurende kreet horen. Anne wiegde hem zachtjes heen en weer en voelde hoe hij hulpeloos zijn armen om haar schouders sloeg.

'Dan wil ik naar mijn opa en oma,' snikte hij.

Anne verkrampte. Er ontsnapte een snik aan haar lippen en ze sloot haar ogen. Langzaam liep er een traan over haar wang.

Toen Jack geen antwoord kreeg, vroeg hij hees: 'Opa en oma ook?'

Anne hield hem nog steviger vast en fluisterde in zijn oor: 'Allebei, lieverd. Een hele slechte man…' Verdriet smoorde haar stem.

'Maar waarom?' Jack kroop nog verder in Anne's armen. Zijn handen grepen haar trui en vormden een vuist. Zo bleef hij haar stevig vasthouden. 'Waarom?' herhaalde hij zachter dan eerst.

'Je moet eerst beter worden, schat. Je weet nu het ergste. Als je beter bent, zal mijn man je alles vertellen wat je wilt. Maar je moet eerst fitter zijn.'

Ze hield Jack vast tot hij zich in slaap gehuild had en legde hem terug in bed.

Beneden hoorde ze de voordeur open gaan. Ze verliet de slaapkamer en liep de trap af. In de gang stond Jim, die meteen zag dat ze gehuild had. Hij liep op haar af en veegde de nattigheid van haar wangen.

'Ik heb het hem moeten vertellen.'

'Ik begrijp het. Hoe reageerde hij?'

'Ik heb zijn hartje gebroken. Wat denk je zelf? Het was verschrikkelijk om die jongen zo te zien.' Haar stem sloeg over en ze moest weer huilen.

Jim sloeg zijn armen om haar heen en kuste haar teder op haar wang.

'Hou vol, lieverd. Je hebt het ergste nu gehad. Nu kun je er alleen nog voor hem zijn en hem steunen.'

'Ik weet het, maar het is zo moeilijk.'

'Zometeen is het uur van de waarheid. We gaan met meer dan veertig man en tien honden speuren. We zullen de bunker zeker vinden.'

'En dan?'

'Dan moeten we afwachten wat het sporenonderzoek ons gaat vertellen.'

Anne knikte.

'Hoe gaat het met zijn gezondheid?' vroeg Jim.

'Hij is al een stuk beter dan gisteren. Veel slaap en zijn medicijnen zijn nu belangrijk.'

'Gelukkig. Ik zie steeds dat witte, slappe gezichtje voor me. Hij zag er zo kwetsbaar uit. Ik hoop dat ik de juiste beslissing heb genomen.' Jim staarde omhoog naar de overloop, alsof Jack daar ieder moment kon verschijnen. Peinzend veegde hij zijn hand langs zijn gezicht. 'Ik hoop dat ik straks de hulp krijg die we nodig hebben om dit af te handelen.'

'Ik ook. In de tussentijd moeten we er zoveel mogelijk voor Jack zijn.'

'Je hebt gelijk. Onze wegen hebben zich niet voor niets gekruist.'

'Alles gebeurt om een reden. Dit ook. Wacht maar af. Als we het nu niet snappen, dan later.'

'Hij heeft nu in ieder geval de tijd om op te knappen in een warm en liefdevol nest. Daarna zien we wel verder.'

'Daarna zien we wel verder,' beaamde Anne. 'Hoor jij eigenlijk niet op je werk zijn?'

'Jawel, maar ik ben die pillen vergeten te nemen.'

'Je hartmedicijnen? Hoe kun je nou zo stom zijn?'

'Ik heb al een drukke morgen achter de rug. Door al het haasten ben ik het gewoon vergeten.'

'Neem ze dan maar gauw in. Straks was door alle spanningen midden in de duinen je hart op hol geslagen. En dan?'

'Dan niets, want ik neem ze zo in.'

'Ik ben gewoon bezorgd om je. Trouwens, zou je misschien nog tien minuutjes kunnen blijven? Ik wil even iets halen, maar ik durf hem nog niet alleen achter te laten. Straks wordt hij wakker en is er niemand.'

'Vooruit. Maar niet langer dan dat, ik moet echt op tijd terug zijn!'

Jim zette vlug een kop koffie voor zichzelf, liep zachtjes de trap op en nam in de badkamer zijn medicijnen in. Voordat hij terug naar zijn bak koffie ging, liep hij eerst naar de logeerkamer en gluurde stiekem om een hoekje van de deur om te zien hoe Jack lag te slapen. Hij voelde zich ellendig toen hij de rode randen om Jacks ogen zag. Voor het eerst leek de jongen ook ouder. Zelfs nu hij sliep waren de lijnen op zijn gezicht harder dan voorheen. Dat leek hem ook onvermijdelijk na alles wat de jongen overkomen was.

Hij sloot voorzichtig de deur en sloop naar beneden, waar hij het koffiezetapparaat hoorde pruttelen. Met een beker koffie in zijn hand wachtte Jim aan de keukentafel tot Anne terug zou zijn. Hij zat graag in de keuken en bestudeerde goedkeurend de oude, beige keuken, die ze in de jaren zeventig hadden laten plaatsen, toen hij en Anne het huis gekocht hadden. De keuken bestond nog uit degelijke formica kastjes en verkeerde nog in een uitstekende staat. Die zou hen waarschijnlijk nog overleven. Naast de deur stond een schitterende eiken vitrinekast met een grote, glazen deur tegen de muur. In die kast stond hun deftige servies te pronken, dat een huwelijkcadeau van zijn ouders was geweest. Op andere planken stonden glazen en kopjes in keurige rijen.

Ruim binnen de tien minuten kwam ze met een volle plastic tas van de Wibra binnen. Ze durfde Jim niet aan te kijken.

Hij vroeg niets, maar gaf haar een zoen en verliet haastig het huis. Het was inmiddels de hoogste tijd. Hij moest vlug naar het bureau. Het was erop of eronder.

## HOOFDSTUK 14

Er waren verschillende teams, die ieder een eigen locatie in de duinen kregen toegewezen. Ieder team volgde de orders van zijn eigen teamleider die over specifieke informatie beschikte over de bunkers in het toegewezen gebied. Aan de hand van dwarsdoorsneden en blauwdrukken bepaalden ze het aantal kamers waar het slachtoffer zich zou kunnen bevinden. Iedere onduidelijkheid werd uitgesloten. Er waren honderden pagina's aan blauwdrukken, uitgebreide plattegronden, doorsneden van de vele verschillende soorten bunkers en de unieke locaties in de duinen.

Klokslag negen uur trok de grote groep richting de Zuidduinen. Team A splitste zich van team B om naar de oostkant aan de Cantineweg te gaan. Zij gingen de doelbunker bestormen, terwijl team B naar de westkant aan het parkeerterrein van de Zuidduinseweg trok. Er werd rekening mee gehouden dat de jongen de afgelopen dagen verplaatst kon zijn, dus team B begon met het controleren van alle overige bunkers in het aangewezen gebied.

Usurpator maakte zich zorgen. Hij stond in zijn woonkamer en staarde gespannen uit het raam. De laatste paar dagen was zijn leven in een stroomversnelling terecht gekomen en daarmee was alles onverwacht flink uit de hand gelopen. Er waren nieuwe misdrijven aan zijn lijstje met overtredingen toegevoegd. Even was hij zelfs trots op zichzelf, tot hij zich realiseerde dat hij een zware crimineel was geworden, die zelfs voor moord zijn hand niet meer omdraaide. Het moment sloeg meteen om in schaamte, want zo had hij nooit willen worden. Die verdomde nieuwsgierigheid naar de smaak van mensenvlees.

In de tijd dat Usurpator nog alleen naar de naam Franklin luisterde, emailde hij regelmatig grappige en interessante mailtjes met collega's. Eén van die mailtjes bevatte een link, met de titel: "Wat een gek!" Hij kreeg een filmpje te zien waarop een Japanner een onduidelijk verzoek deed om tweehonderd dollar naar zijn rekening over te maken, waarna hij iets vertelde over de kunst die hij maakte en het boek dat hij geschreven had. Het filmpje was volgens de titel gestuurd om te laten zien wat voor idioten er op de wereld rondliepen, maar Franklin had geen idee wie de man was en begreep daardoor de boodschap niet.

Hij haalde de naam van de man door Google en binnen een paar seconden werd duidelijk dat de man uit het filmpje, Issei Sagawa, een necrofiele kannibaal was die een Nederlands meisje had vermoord en opgegeten. Sagawa had haar leren kennen tijdens zijn studie in Frankrijk en werd betoverd door haar schoonheid. Hij kreeg haar zo ver om hem thuis, tegen betaling, Duits te leren. Hij nestelde haar op een stapel kussens op de vloer en terwijl ze hem uit een boek voorlas, dook Sagawa achter haar op en schoot haar door haar nek met een jachtgeweer. Vervolgens sneed hij met een scherp mes plakken vlees van haar lichaam, waarover Sagawa later in een interview de spraakmakende zinnen zou zeggen: "Het vlees was zacht, zoals tonijn. Het leek te smelten op mijn tong. Met ieder hapje werd ik seksueel opgewonden." Tijdens het eten van deze plakken rood vlees kreeg hij een erectie, waarna hij seks had met haar dode lichaam.

Toen het vlees na een paar dagen begon te stinken, wilde hij haar restanten in een park dumpen, dicht bij zijn woning. Hij nam een taxi en liet zich naar het park brengen. Daar zag een echtpaar van middelbare leeftijd hem twee koffers uit de kofferbak halen en op een trolley leggen. Het echtpaar verklaarde later aan de politie dat het ze was opgevallen, omdat de koffers er groot en zwaar uit zagen en Sagawa slechts een klein en delicaat mannetje was. Sagawa begon de trolley door het park te slepen en het echtpaar verloor hem uit het oog. Toen ze hem daarna weer in de verte zagen, deed hij weer iets wat hun aandacht trok: Sagawa maakte een scherpe bocht, liep met de trolley naar het meer en maakte aanstalten om de koffers in het meer te dumpen. Plots keek hij verdacht om zich heen en kreeg toen pas het echtpaar in het oog. Sagawa schrok en wist even niet wat hij moest doen. Haastig schoof hij de twee koffers onder een nabije struik en maakte zich uit de voeten.

Het echtpaar was inmiddels nieuwsgierig geworden naar wat de man in het water had willen gooien en ze liepen naar de koffers toe. Toen ze de eerste koffer openritsten, kregen ze de schrik van hun leven: in de koffer lag het torso van een jonge vrouw. In de tweede koffer vond de ingeschakelde politie haar armen, benen en haar hoofd. Door zijn verdachte gedrag kon het echtpaar een duidelijk signalement geven van de man. Bovendien hadden ze hem uit een taxi zien stappen. Het vinden van de taxichauffeur leidde uiteindelijk tot zijn arrestatie. Achteraf vond Sagawa het moeilijk te geloven dat het toch nog een paar dagen duurde voordat hij gearresteerd werd. Hij had al die tijd thuis zitten wachten op de politie.

Tot Franklins grote schrik werd hij door deze geschiedenis eerder geboeid dan door walging overmand. Geschrokken zette hij de computer uit, maar de zinnen die Sagawa gesproken had, bleven door zijn hoofd spoken. De komende dagen dacht hij na over zijn pas ontdekte passie en besloot toen dat hij er nog te weinig van wist om zichzelf een zieke geest te noemen. Hij moest meer informatie hebben. Nu kon het net zo goed om een vorm van morbide nieuwsgierigheid gaan, die slechts interessant leek omdat het nieuw was.

Diep van binnen wist hij dat dit onzin was. Franklin was al een tijdje wanhopig op zoek naar spanning in zijn alleenstaande, saaie leventje en hij was bereid om zowat alles aan te grijpen dat zich aandiende. Wat was er nou spannender dan het eten van mensenvlees?

Hij nam een snipperdag en bleef de hele dag achter de computer zitten. Hij surfte het hele wereldwijde web af naar informatie en raakte gefascineerd door Issei Sagawa, zijn eerste ontdekking. Hij las en bekeek zoveel mogelijk beelden. Alles wat maar beschikbaar was. Tijdens het surfen ontdekte hij Armin "de Kannibaal van Rotenburg" Meiwes. De Duitser, die een absurde afspraak met zijn slachtoffer gemaakt had, maakte diepe indruk op Franklin.

Meiwes probeerde al jaren iemand te vinden die hij zou kunnen opeten. Op internet ontmoette hij Bernd Jürgen Brandes, die, bizar genoeg, graag opgegeten wilde worden. Ze spraken af in Kassel en reden vandaar naar Meiwes' huis. Daar had Meiwes gedurende de maanden van hun correspondentie een slachtkamer ingericht, met vleeshaken aan het plafond en matrassen tegen de muren om eventuele doodskreten te dempen en zo burengerucht te vermijden. In het midden van de kamer stond een slachtbank.

Ze dronken samen naakt koffie, waarna Brandes een aanzienlijke hoeveelheid slaapmiddelen naar binnen werkte, gevolgd door een fles Schnapps. Brandes had als enige eis gesteld dat Meiwes Brandes' penis zou afsnijden en dat ze deze samen zouden opeten. Meiwes hield zijn woord en sneed Brandes' penis eraf. Zo goed en zo kwaad als het ging verbond hij de wond, zodat Brandes bij bewustzijn zou blijven. Samen probeerden ze de penis te eten, wat echter door de taaiheid nagenoeg onmogelijk bleek te zijn. Vervolgens probeerde Meiwes de penis te bakken, maar dit veranderde weinig aan de taaiheid en resulteerde uiteindelijk in een verbrande penis, waar ze niets meer mee konden. Nadat Brandes was doodgebloed, sneed Meiwes, zoals afgesproken, Brandes' keel door en slachtte hem vervolgens. De weken erna at Meiwes zijn vlees op en vroor gedeelten in. De zaak kwam pas aan het rollen toen Meiwes via internet op zoek ging naar een nieuw slachtoffer en daarbij opschepte over wat hij met Brandes' lichaam had gedaan.

Franklin had zich erover verbaasd dat zowel Meiwes als de Japanner zich zo gemakkelijk hadden laten arresteren. Hij nam zich voor om continu alert te blijven en niets stoms te doen, wat tot zijn eigen arrestatie zou kunnen leiden.

De volgende maanden absorbeerde hij alles wat met kannibalisme te maken had. Hij leerde dat er nog altijd veel kannibalistische stammen in de jungles van het verre buitenland waren en ontdekte diverse fora en sites op internet die over kannibalisme verhaalden.

Op één van de fora had hij contact gekregen met iemand uit het genootschap. Zo was het balletje gaan rollen, al had het nog meer dan een jaar geduurd voordat hij aanwezig mocht zijn bij zijn eerste bijeenkomst. Het bleek om een kleine groep mannen en vrouwen te gaan, die jonge vrouwen ontvoerden om ze vervolgens levend op te eten. Tijdens de bijeenkomst werd een vast bedrag opgehaald waarmee de onkosten van het volgende samenzijn werden betaald.

Die allereerste keer zou hij nooit meer vergeten. Toen hij eenmaal deel mocht uitmaken van de groep, was het nog zo dat hij zich meteen moest bewijzen. De eerste hap was voor hem. Hij kroop over het naakte lichaam van het meisje en wist even niet meer waar hij wilde beginnen. Alles zag er zo zacht en uitnodigend uit. Zijn vingers onderzochten haar vlees. Hij kneedde haar en zocht de zachtste stukjes op. Met kleine, voorzichtige knauwtjes verkende hij de textuur van haar vlees. Aarzelend beet hij een stukje uit haar zij. Dat ging makkelijker dan hij aanvankelijk had gedacht. De overige aanwezigen moedigden de lust die van zijn gezicht droop aan. De lugubere sfeer die over het terrein hing en het zure angstzweet waar het meisje naar rook en smaakte, zweepten hem nog meer op en brachten hem in extase. Haar armen en benen waren weerloos aan de tafelpoten vastgebonden, waardoor hij zichzelf niet langer kon bedwingen.

Het verkrachten van het slachtoffer maakte toen nog geen deel uit van het ritueel, maar Franklin wierp zijn kleding af en begon als een bezetene zijn lusten op het gekneveld meisje te botvieren. Aangemoedigd door het gejoel van de overige aanwezigen werd zijn spel steeds hardhandiger.

Tijdens de verkrachting begonnen anderen hongerig naar haar lichaam te graaien. Tanden verdwenen in haar vlees en scheurden stukken weg. Na Franklin kroop onmiddellijk de volgende op haar schokkende lichaam.

Terwijl het meisje hysterisch krijste en kronkelde, draaide Franklin zich als een wezel tussen de aanwezige eters. Zijn graaiende handen vonden haar zachte vlees. Zijn vingers gleden traag over haar zij, naar de zijkant van haar borst. Haar lichaam was zo zacht en kneedbaar. Terwijl Franklin zijn nagels zo hard mogelijk in het malse vlees drukte, voelde hij langzaam de weerstand eruit verdwijnen toen haar huid openscheurde. Met een verhoogd waarnemingsvermogen voelde Franklin hoe zijn vingers haar lichaam binnendrongen. Hij voelde haar warme binnenste. Bloed liep in vlugge, dunne straaltjes langs zijn vingers. Franklin keek er gefascineerd naar en voelde de inwendige hitte op zijn hand branden. Hij had zich nog nooit zo levend gevoeld. Hij koesterde het gevoel en maakte een vuist, terwijl zijn vingers nog in haar lichaam zaten. Zijn knokkels gleden één voor één over haar ribben heen. Franklin genoot van de macht. Hij had het voor het zeggen wanneer ze haar laatste adem uitblies. Tevreden ontspande hij zijn hand. Met een vlugge beweging scheurde hij een lap vlees uit haar zij en trok zich terug om uitgebreid te proeven.

Die Issei Sagawa kon dan verlekkerd over de zachte tonijnachtige structuur bazelen, hij zou nooit meer de tegenvallende smaak van zijn eerste hap mensenvlees vergeten. Het leek eerder op rauwe kipfilet, maar dan iets zoeter van smaak. En hij had een hekel aan kipfilet.

Gebakken had hij ook wel eens geprobeerd, maar dan ging de smaak al snel op rundvlees lijken, hoewel iets zoeter en zachter van textuur. Het was in ieder geval niet half zo spectaculair als hij had verwacht. Tegenwoordig ging het hem meer om het nemen, dan om het eten. Dat was zijn grootste kick geworden; je nam een zwakkere uit de kudde, isoleerde die en vervolgens mocht je er alles mee doen wat je maar wilde. Het was de macht.

Aan het einde van de avond kreeg hij van Accres een toepasselijk alter ego toegekend: Usurpator, wat zoveel betekende als overweldiger. Deze naam was voor het leven en mocht alleen door de leden van het genootschap gebruikt worden.

Inmiddels was hij President van het genootschap en ineens drong het tot hem door dat, wanneer hij opgepakt zou worden, hij voor lange tijd de bak in zou draaien. En daar zat hij natuurlijk niet op te wachten. Franklin had genoeg zelfkennis om te weten dat hij het in de gevangenis niet zo goed zou doen. Hij bezat dan wel het ultieme jagersgevoel, maar zijn tengere, haast magere lichaamsbouw zou er zeker voor zorgen dat hij iemands pretslet zou worden. En voor het hele cellenblok onder de gemeenschappelijke douche stukken zeep oprapen, zag hij niet zo zitten. Hij kon zich niet voorstellen dat hij sporen in de bunker had achtergelaten, hij was altijd extreem voorzichtig. Desondanks was de onzekerheid moordend. Franklin wilde bevestiging dat de situatie onder controle was, maar Jim had specifiek gezegd dat hij zelf zou bellen en Franklin wilde hem liever niet onnodig lastigvallen. Ook omdat hij niet wist wanneer de kust veilig zou zijn om te bellen.

Met zweet in zijn handen nam hij zich voor om geduldig te wachten op Jim's verlossende telefoontje.

Jack had lang geslapen. Tot Anne's grote opluchting riep Jack zodra hij wakker was, meteen om haar. Ze gaf hem zijn medicijnen, knuffelde hem en ging even naast hem liggen, zodat ze hem langer vast kon houden. Na een tijdje zo gelegen te hebben, wilde Jack televisie kijken. Voordat ze naar beneden gingen douchte ze Jack eerst. Eindelijk kon ze hem die leuke raceauto pyjama aantrekken, die ze die ochtend samen met wat andere leuke kledingstukken bij de Wibra had gehaald. Ze haalde een knuffelkonijn tevoorschijn, dat door zijn overdreven lange oren en pluizige, witte staart een hoog knuffelgehalte had. Jack keek meteen erg verheugd, maar toch had hij het beest niet willen aanpakken, omdat hij zichzelf te groot vond voor een knuffeldier. Anne praatte op hem in en kon hem er pas na een tijdje van overtuigen dat iedereen die zulke verschrikkelijke dingen had meegemaakt, recht had op een knuffelkonijn. Vertederd zag ze de opluchting in zijn ogen toen hij het konijn van haar aanpakte en stevig tegen zich aandrukte.

Ze liepen de trap af en settelden zich tegen elkaar op de bank. Samen keken ze naar een tekenfilm, terwijl Jack zijn konijn, dat inmiddels de originele naam Snuf had gekregen, half tussen hen in liet zitten. Af en toe zag Anne dat hij schuin opzij naar haar opkeek en haar goed in zich opnam. Ze was opgelucht dat Jack niet meer over zijn vader en grootouders was begonnen. Ook had hij niet meer gehuild. Toch maakte ze zich daar wel zorgen om. Ze was bang dat er binnenin hem iets meegestorven was, waardoor er een bepaalde ongevoeligheid over hem heen zou komen.

Anne at haar avondmaaltijd op de bank bij Jack. Hij nam wat crackers en thee en probeerde iets later voorzichtig een boterham met kaas, die helemaal op ging. Anne glunderde onopvallend toen ze merkte dat Jack zoetjesaan zijn eetlust weer terugkreeg. Eindelijk iets positiefs voor de jongen.

Ze bleven de hele avond samen op de bank hangen en wachtten geduldig tot Jim thuiskwam. Ze was trots op Jim dat hij Jack tijdens zijn recherchewerk had gevonden en hem tegen beter weten in niet met een ambulance had weggestuurd, maar uit liefde en bezorgdheid mee naar huis had genomen. Ze had iets gekregen waar ze niet meer op gerekend had. Ze zou alles proberen om Jack bij haar en Jim te houden.

Maar hoe kon ze Jack duidelijk maken wat ze allebei voor hem voelden? Dat hun paden zich bij toeval hadden gekruist en dat ze er nu met hun drieën het beste van zouden moeten maken?

Na lang twijfelen besloot ze nog even niets te zeggen en van het moment te genieten. Mensen genoten sowieso veel te weinig van het moment, en kregen dan de pest in wanneer het voorbij was. Maar niets duurde eeuwig, dus wilde ze er nu zoveel mogelijk van genieten. Per slot van rekening zaten ze nu als een gezinnetje op de bank en dat was iets waar ze al heel lang niet meer van had durven dromen.

Jim kon ieder moment thuiskomen en wanneer hij naast hen zat, was alles compleet. Al duurde het maar een half uurtje, het zou één van de fijnste halve uurtjes uit haar leven zijn.

Om half twaalf schrok Anne op van een sleutel die in het slot werd gestoken. Ze keek op en zag Jack diep in slaap naast haar liggen. Zijn hoofd lag op haar been en hij had de dekens hoog opgetrokken.

Jim stapte de woonkamer in. Hij zag er afgemat uit. Achteloos gooide hij zijn sleutels op tafel.

Gespannen keek Anne naar hem op.

'We hebben drie bunkers ontdekt, waar iemand tijdelijk verbleven heeft, waaronder de bunker waar ik hem gevonden heb.' Jim gaf een knikje richting Jack. 'Er zijn veel sporen gevonden, maar niets wat naar ons kan leiden. De officiële verklaring luidt dat de jongen naar een andere locatie is verplaatst. Onderzoek moet uitwijzen of hij nog leefde toen hij verplaatst werd.' Jim keek Anne nu recht aan. 'Daar had een mogelijkheid voor ons gelegen. Als ze denken dat hij overleden is, dan krimpt het aantal rechercheurs aanzienlijk.'

Anne knikte langzaam.

'Hoe dan ook gaan we er flink van langs krijgen in de pers,' vervolgde Jim. 'Er liepen continu journalisten om ons heen met irritante vragen. Ze vinden ons optreden laks en te laat.'

Anne glimlachte en zei: 'Dan lezen we maar even geen krant, liever. Pak eerst iets te drinken voor jezelf en kom even bij ons zitten.'

'Je hebt gelijk. We zien wel hoe het loopt. Daar veranderen we nu toch niets meer aan.' Jim glimlachte terug en liep naar de keuken om een biertje voor zichzelf te halen.

Hij plofte neer op de andere bank en maakte daarmee Jack wakker.

De jongen keek even uitdrukkingloos naar Jim en glimlachte toen voorzichtig. 'Bedankt dat u me hebt gered uit de bunker. Ik voel me al veel beter. Hebt u Sylvia al te pakken? Die heeft dit allemaal gedaan,' mompelde Jack zachtjes met een nijdig gezicht.

'Sylvia is dood.'

'Jim! Denk om je woorden,' waarschuwde Anne.

Jack keek opgelucht.

'Je vader heeft haar vermoord toen zij hem...' Jim maakte zijn zin niet af.

'Maar wie heeft papa dan vermoord?'

'Ze hebben elkaar tegelijk van het leven beroofd, maar we weten nog niet precies hoe het is gebeurd.'

'Ik ben blij dat ze dood is. Is dat slecht?' vroeg Jack aan Anne.

'Nee lieverd, op dit moment niet. Zo te horen was ze een hele slechte vrouw.'

Jack vertrok zijn gezicht en knikte. 'Ze was een hele slechte vrouw,' beaamde hij. Toen keek hij verlegen naar Anne. Er was blijkbaar nog iets dat hij wilde vragen.

'Wat is er, schat?' vroeg Anne.

Jack staarde naar de vloer en vroeg haast onverstaanbaar: 'Waar moet ik straks naar toe?'

'Dat weten we ook nog niet precies. De kans is groot dat de Kinderbescherming pleegouders voor je gaat zoeken,' antwoordde Anne.

'Ik wil niet naar vreemde mensen. En ik wil ook niet naar een weeshuis.'

'Volgens mij heten die nu anders.'

'Mag ik niet gewoon bij jullie blijven? Ik beloof dat ik me goed zal gedragen!'

Anne slikte. 'Dat zou ik ook het liefste willen, maar het is niet aan ons om dat te bepalen. Dat moet allemaal officieel via allerlei organisaties.' Ze keek vragend naar Jim.

'Maar als ik het wil en jullie ook, mag het dan?'

'We gaan ons best doen. Ik vind het al heel fijn dat je hier zou willen blijven.' Ze trok Jack stevig tegen zich aan.

'Moet jij eigenlijk niet naar bed?' vroeg Jim.

'Laat hem nog maar even blijven,' antwoordde Anne. 'Ik vind het fijn dat we allemaal bij elkaar zijn.'

Jim pakte de afstandsbediening en begon te zappen.

Anne keek om zich heen. Ze zaten allemaal voor de televisie. Zij nog steeds met Jacks hoofd op haar been, haar arm beschermend om hem heen geslagen. Jim zat tegenover zijn vrouw met een biertje in zijn hand. Een golf van geluk overspoelde haar wezen en nam voor even al haar spanningen weg. Ze voelde zich uiterst weerbaar en volkomen gelukkig. Dit heerlijke gevoel zou Anne koste wat het kost vasthouden. De kunst van leven is gelukkig te zijn met de simpele dingen. Om de hand kaarten die je van het leven krijgt, te accepteren. Sommigen kregen een flush, zij had een pair gekregen. Kwestie van lief lachen, ja knikken en wachten tot het volgende potje.

Maar ze wist als geen ander dat het makkelijker gezegd  dan gedaan was. Vooral wanneer je in iedere krant las dat zelfs heroïnehoertjes, alcoholisten, labiele, suïcidale en de meest perverse idioten kinderen kregen, die ze vervolgens verwaarloosden, mishandelden of zelfs misbruikten. Terwijl het bij haar en Jim maar niet lukte, terwijl ze zoveel liefde en toewijding te geven hadden. Hoe was het mogelijk?

Achteraf hadden ze te lang gewacht met hulp zoeken. En door hun lange geaarzel kwamen ze op een gegeven moment zelfs niet meer voor adoptie in aanmerking.

Nu het lot haar onverwacht toch een flush had gegeven, was ze het verplicht aan zichzelf om daarvan te genieten.

Nee, je moest echt van hele goede huize komen, wilde je dit van haar kunnen afpakken.

# De zevende dag

## HOOFDSTUK 15

Jim was vroeg vertrokken naar het bureau. Anne stond voor de koelkast en hield de deur wagenwijd open. Ze twijfelde welk broodbeleg Jack het lekkerst zou vinden en koos aarzelend voor de grote homp grilworst. Naast haar begon de koffie te pruttelen en verspreidde een heerlijke geur in de keuken. Opgewekt begon ze een paar boterhammen voor Jack te smeren. Ze vond het fantastisch dat hij zo snel opknapte. Nog even en dan kon ze hem zijn nieuwe kleren geven. En als hij ze niet leuk vond, dan zouden ze samen nieuwe gaan kopen. Over smaak viel immers niet te twisten.

Ze perste een paar sinaasappels en zette het glas op het dienblad, naast het bord met boterhammen. Nog een glaasje water erbij voor de medicijnen en een banaan voor de vitaminen. Anne hoopte dat Jack goed geslapen had. Een beetje zenuwachtig liep ze de trap op naar boven. Vreemd. Ze kende Jack nog maar zo kort, maar ze hield al zo veel van hem. Bij andere kinderen had ze dat helemaal niet.

Ze opende de deur en zag Jack rechtovereind in bed zitten.

'Wat doe jij nou?' vroeg ze verbaasd.

'Ik hoorde u zingen. Daar werd ik wakker van. Ik slaap blijkbaar niet meer zo vast, sinds die bunker.'

Beschaamd sloeg Anne haar ogen neer. 'Ik neuriede maar wat,' mompelde ze.

'Het geeft niet, hoor,' haastte Jack zich te zeggen. 'Ik vond het fijn om naar te luisteren. Papa had altijd haast. Die neuriede nooit. Hij deed het goed, hoor, maar hij had het altijd druk en miste mama nog steeds heel erg. Ik trouwens ook.'

Anne wist even niets te zeggen en knikte alleen maar. 'Ik begrijp het, schatje,' zei ze uiteindelijk.

'Is dat allemaal voor mij?' vroeg Jack, terwijl hij overdreven grote ogen opzette toen hij het volle dienblad zag.

'Allemaal. Maar als je niet meer hoeft, mag je het laten staan. Behalve je medicijnen. Die moet je wel nemen.'

'Doe die dan maar als eerste. Eerst het vieze, dan de lekkere dingen.'

Anne pakte de pillen van het dienblad en gaf ze aan Jack. Hij spoelde ze weg met een half glaasje water en pakte meteen één van de boterham-men. Anne vond het prachtig om hem met zoveel trek te zien eten.

'Doe maar rustig aan. We hebben alle tijd van de wereld.'

'Mag ik straks weer naar beneden? Het is boven zo stil.'

'Natuurlijk mag dat. Dan ga je vanavond maar douchen. Dat geeft niets.'

Jack knikte opgelucht.

'Hou je eigenlijk van lezen?' vroeg Anne. 'Zal ik straks een paar strip-boeken voor je halen?'

'Ik lees heel veel. Maar eigenlijk nooit stripboeken. Hebt u misschien Kameleonboekjes?'

'Kameleonboekjes? Met Hielke en Sietse, bedoel je?'

'Jep!' Jack werd nu ineens enthousiast. 'Maakt niet uit welke. Ik heb er pas twee gelezen, maar ik weet de titels niet meer. Het zijn meer dan zestig delen, dus de kans dat u dezelfde meeneemt is erg klein.'

'Dan zal ik er voor de zekerheid meer dan twee meenemen. Dan zit-ten we altijd goed.' Anne glimlachte naar Jack. 'Tegen de tijd dat je ze uit hebt, ben je vast al een heel eind opgeknapt. Dan gaan we er samen nog een paar uitzoeken. Hoe vind je dat?'

Jack grijnsde. 'Heel leuk.' Ineens verflauwde de grijns om zijn lippen en keek hij weer ernstig. 'Weet u dan al hoe lang ik hier mag blijven? Ik wil eigenlijk helemaal geen pleegouders. Straks moet ik in een ander dorp gaan wonen en dan zie ik mijn vriendjes ook niet meer. Ik zit hier ook op school. Ik snap dat er veel zal veranderen, maar ik wil gewoon hier bij u en uw man blijven.'

Anne voelde zich van binnen helemaal warm worden. 'Ik vind het heel lief dat je dat zegt. Dat is ook wat ik het liefste wil. Maar het is inge-wikkeld. We weten nog niet hoe het gaat lopen.' Anne ging naast hem op het bed zitten. 'Omdat je zo ziek was, weet nog niemand dat je hier bent. Dat is eigenlijk nog een geheim. Daarom is het ook het beste om nog een tijdje binnen te blijven. Niemand mag nog weten dat je hier bent, Jack. Daar moeten we nog iets op verzinnen, maar ik beloof je dat we echt alles zullen doen om je hier bij ons te houden. Tenzij je het ineens niet meer wilt.'

'Ik wil het wel,' zei Jack en hij pakte haar handen vast. 'Dank u wel. Voor alles.'

Anne keek hem zwijgend aan en zag hoe Jack tevergeefs probeerde een traan weg te knipperen. Er verscheen een flauwe glimlach op zijn lippen toen hij ook een traan bij Anne over haar wang zag glijden. Ze sloegen hun armen om elkaar heen en knuffelden.

Even later lag Jack ontspannen op de bank met een kussen onder zijn hoofd naar heldhaftige acties van skateboarders op MTV te kijken. Anne was klaar met de afwas en liep de woonkamer in.

'Ik ga even voor je naar de boekwinkel. Van den Berg zit hier vlakbij. Die hebben ongetwijfeld Kameleonboekjes voor je. Ik ben zo terug. Red je het om even alleen te zijn?'

'Natuurlijk. Tot straks.'

Ze boog over hem heen en drukte een kus op zijn wang. Jack schrok even van het plotselinge gebaar en kleurde toen tot diep in zijn nek.

Anne fietste de lange Commandeurslaan uit. Ze kon niet wachten tot ze Jacks gezicht zou zien wanneer ze hem de boekjes zou geven, verpakt in cadeaupapier. Bovendien leek het haar leuk om eens lekker te neuzen tussen de kinderboeken. Dat waren schappen waar ze eigenlijk nooit naar omkeek. Er waren vast veel nieuwe schrijvers sinds haar tijd. Op de verjaardag van haar zus had ze goede verhalen gehoord over de boeken van Paul van Loon. Die zou ze ook proberen.

Ze stak haar neus hoog in de lucht en snoof de heerlijke, frisse buitenlucht diep op. Het rook naar zomer. Naar de beste zomer sinds jaren! Aan het einde van de Commandeurslaan sloeg ze linksaf.

Vanuit het niets hoorde ze piepende banden en een blikachtige klap. Ze werd van haar fiets gegooid. Wat er gebeurde er in Hemelsnaam? Ineens voelde ze een brandende pijn in haar heup en haar arm voelde vreemd aan. Ze kreeg een harde klap tegen de zijkant van haar hoofd, waardoor haar tanden op elkaar klapten. Ze proefde bloed in haar mond en zag vlekken voor haar ogen. In de verte hoorde ze het portier van een auto dichtslaan.

'Mevrouw, gaat het?' vroeg een bezorgde mannenstem.

Anne zag alleen de schoenen en de broekspijpen van de man. Ze kreunde als antwoord. Wat een stomme vraag. Hij zag toch zelf ook wel dat het niet ging? Ze zat vast en alles deed pijn.

'Mevrouw, het spijt me, maar ik heb u aangereden met de auto. Ik heb u niet gezien. Het ging zo vlug, het spijt me.'

Help me dan, in plaats van zo stom staan te kijken! wilde ze zeggen, maar haar mond reageerde niet zoals het hoorde en haar lippen zeiden niet de woorden die ze wilde zeggen. Er klonk alleen een nieuwe langgerekte kreun.

'Mevrouw, er is al een ambulance gebeld. Ik wil u wel overeind helpen, maar ik ben bang dat ik u pijn doe of dat ik het erger maak. Het ziet er niet zo goed uit.'

Op de achtergrond hoorde ze het geroezemoes van opgewonden

stemmen. Ze merkte dat er steeds meer mensen om haar heen kwamen staan, maar niemand deed iets.

Nu voelde ze zich pas echt beroerd worden. Haar buik voelde aan alsof hij doormidden gescheurd was en brandde verschrikkelijk. En haar zicht werd ook steeds troebeler. Het ging inderdaad niet echt goed met haar. Straks ga ik dood! schoot het door haar hoofd. Dan lig ik hier alleen, terwijl ik nu bij Jack had kunnen zijn.

Jack...

Ze sloot haar ogen en dacht aan de vorige avond. Toen ze allemaal samen waren. Onwillekeurig verscheen er een glimlach op haar gehavende gezicht. Jack lag weer met zijn hoofd op haar been. Jim zat tegenover haar. Met een biertje in zijn hand zat hij te zappen en schold op de steeds langer wordende reclameblokken. Ze pakte Jacks hand vast en vertelde hem hoeveel ze van hem was gaan houden in die korte tijd dat ze hem kende. Vervolgens keek ze naar Jim en vertelde hem ook hoeveel ze van hem hield. Hij lachte naar haar en hief zijn biertje naar haar op. Die gekke man. Dat was echt weer wat voor hem. Ze lachte terug en drukte nog één keer een kus op Jacks wang.

Jim zat in gedachten verzonken achter zijn bureau, tegenover Henk. Samen maakten ze een rapport op over de bevindingen die zij en hun team de vorige avond tijdens de zoekactie hadden gedaan. Een brullende leeuw deed Jim opschrikken uit zijn gedachten.

'Met Jim Nieuwpoort.'

'Jim, je spreekt met Mathilde van der Heuvel, van de overkant.'

Dat was vreemd. Zijn overbuurvrouw. Jim was meteen op zijn hoede. Meer contact als hoi en dag hadden ze eigenlijk nooit. 'Mathilde, wat kan ik voor je doen?'

'U moet onmiddellijk naar de eerste hulp. Anne heeft aan het eind van de straat een ongeluk gehad.'

Er viel een korte stilte. 'Een ongeluk? Is het ernstig?'

'Ik weet het niet zeker, Jim. Maar ze is net met een ziekenwagen weggebracht naar het LUMC.'

Jim was sprakeloos. De grond kruimelde onder zijn bestaan weg. Dit kon niet waar zijn. 'Ik ga er meteen naartoe. Bedankt voor je belletje.'

Henk was intussen opgestaan en naar Jim gelopen. Bezorgd legde hij zijn hand op Jims schouder. 'Wat is er aan de hand?'

'Het is Anne. Ze heeft een ongeluk gehad.'

'Dat meen je niet? Ernstig?'

'Dat wist de buurvrouw niet zeker. Ik moet meteen weg.'

'Zal ik je brengen?'
'Nee, laat me maar.'

Aangekomen bij de eerste hulp, parkeerde Jim op een invalidenparkeerplaats. Hij sprong de auto uit en holde de afdeling binnen. In de overvolle wachtkamer drong hij naar voren en klampte de eerste de beste verpleegster aan die hij zag. 'Ik zoek Anne Nieuwpoort. Ze is zojuist binnengebracht.'

De verpleegster tikte de naam in en vroeg het adres en Anne's geboortedatum. Ze las de tekst die op het scherm verscheen en trok een zorgelijk gezicht. 'Ik haal iemand voor u. Komt u maar mee.'

Dat was geen goed teken. Jim liep met haar mee naar een lange gang en wachtte daar. Na een tijdje kwam er een man op hem aflopen. Zijn lange witte jas wapperde achter hem aan.

'Mijn naam is Vincent de Ruiter. Ik ben de behandelend arts. U bent de man van Anne Nieuwpoort uit Katwijk?'

'Dat klopt,' zei Jim.

'Kunt u me haar geboortedatum vertellen?'

'24 juni 1961.' Jim kreeg een slecht voorgevoel.

De arts knikte. 'Het spijt me, maar ik heb slecht nieuws voor u.'

'Is het ernstig?'

'Ze heeft het helaas niet gehaald.'

'Dat meent u niet.' Jims stem brak.

'Het spijt me echt. We hebben alles gedaan dat in onze macht lag.'

Jims onderkaak begon te trillen. 'Mag ik haar zien, dokter?'

'Dat kan, maar ze ligt niet meer in een bed.'

'Dat geeft niet. Als ik haar maar even kan zien.'

'U realiseert zich dat mevrouw een ernstig ongeluk heeft gehad? Misschien kunt u beter wachten tot ze bij de begrafenisondernemer is?'

'Nee, ik wil haar nu zien.'

'U kunt zich melden bij het mortuarium. Ik zal hen op de hoogte brengen van uw komst.' De arts pakte met beide handen Jims hand vast. 'Ik wens u heel veel sterkte in deze zware tijd.'

Jim knikte zwijgend.

De arts draaide zich om en liep gehaast bij hem vandaan. Jim wachtte tot de arts uit het zicht verdwenen was en zakte toen door zijn knieën. Hij begon hartverscheurend te huilen.

Hulpeloos dwaalde Jim door de gangen op zoek naar het mortuarium. Toen hij eindelijk de juiste afdeling gevonden had, bracht een jonge arts hem bij een lange, glimmende muur van twee meter hoog, die was opgebouwd uit twee boven elkaar liggende rijen met roestvrijstalen laden. De jongeman bladerde onhandig door zijn formulieren, op zoek naar de juiste lade. Jim stond op het punt hem een "handje te helpen", toen de jongeman abrupt zijn hand uitstak en één van de laden ontgrendelde door het handvat in te knijpen.

'Het spijt me,' mompelde de jonge arts voordat hij langzaam de ruim twee meter lange lade uittrok en met een dramatisch gebaar het laken opzij sloeg.

Zijn blik vertroebelde toen hij het beschadigde gezicht van Anne zag. Hij kon zo niet langer naar haar kijken. Hij gaf een kort knikje naar de jonge arts, draaide zich om en liep weg. De arts sloeg de deken terug en wilde net de la weer de gekoelde muur induwen, toen Jim zich bedacht. Hij draaide zich langzaam om. 'Wacht even.' Jim vermande zich en veegde wat tranen weg. 'Wat is er precies gebeurd?'

De arts keek op zijn formulieren. 'Mevrouw kwam van links en heeft waarschijnlijk een auto over het hoofd gezien. Die heeft haar vervolgens geschept.'

'Waaraan is ze overleden?'

De man bladerde door zijn papieren en mompelde haast onverstaanbaar: 'Inwendige bloedingen. Als ik zo het letsel bekijk, vermoed ik een gescheurde aorta. Wilt u een autopsie?'

Jim sloeg het laken weer opzij en staarde naar het bebloede gezicht van zijn vrouw. Tot zijn opluchting had ze haar ogen dicht. Je hoefde geen medisch wonder te zijn om te zien dat ze haar kaak gebroken had; die hing aan één kant bijna drie centimeter scheef omlaag en stak schuin naar binnen. Ze moest helse pijnen hebben doorstaan.

'Heeft ze erg geleden?' vroeg Jim ten overvloede.

De man bladerde vlug weer door zijn papieren en las op een andere pagina stil een aantal regels. 'Ik kan u vertellen wat er in dit rapport staat, of ik kan u mijn persoonlijke mening geven die op ervaring en autopsies is gebaseerd.'

'Geen medische termen. Vertelt u me maar wat u denkt.'

De arts rechtte zijn rug. 'Haar lichaam was zo ernstig toegetakeld dat ze niet lang geleden heeft. Uit ervaring weet ik dat in zulke gevallen het adrenalinegehalte op dat moment zo hoog is geweest, dat ze niet erg veel pijn gevoeld kan hebben. Bovendien is het mijn persoonlijke mening dat ze rustig is gestorven. Haar lichaam ligt er ontspannen bij en is niet verkrampt. Voor mij is dat een teken dat ze er rustig onder was.'

Jim knikte weer. Hij hoopte dat de arts gelijk had.

Hij vluchtte het ziekenhuis uit en stapte in zijn auto. Hij sloeg een paar keer woedend op zijn stuur en barstte in huilen uit.

Onzeker draaide Jim zijn auto de oprit van zijn huis op. Voordat hij uitstapte, nam hij een moment voor zichzelf en ademde diep in en liet langzaam de adem aan zijn lippen ontsnappen. Hij staarde naar het huis en realiseerde zich dat het zonder Anne eigenlijk zijn thuis niet meer was.

Jim besefte dat hij nu in zijn eentje verantwoordelijk was voor de jongen. Het viel hem in dat hij bijna continu aan het werk geweest was en de jongen eigenlijk maar een paar uurtjes had gezien. Het was vooral Anne geweest die een bijzondere band met hem had gekregen.

Nu kwam het moeilijkste. Hij moest de jongen het verschrikkelijke nieuws vertellen en hem proberen op te vangen, terwijl hij zelf ook niet meer wist hoe het allemaal verder moest. De jongen had al de ene na de andere klap gekregen. Het leek wel alsof iedereen waar hij van hield kwam te overlijden.

Jim stapte uit de auto en liep naar de voordeur. Jack stond hem op te wachten in de gang. Hij had de deken om zich heen geslagen en keek naar Jim, die zich geen raad wist met de vragende blik van de jongen.

Na een paar seconden verbrak Jack ten slotte de stilte en zei aarzelend: 'Uw vrouw is vanmorgen naar een boekwinkel gegaan, maar ze is nog niet terug. Ik heb politie en ziekenauto's gehoord. Is ze in orde? Ik wilde wel gaan kijken, maar ze had gezegd dat ik me voorlopig nog niet aan mensen mocht laten zien.'

Jim zocht naar woorden.

Jacks onderlip begon te trillen. Met een brok in zijn keel vroeg hij nogmaals: 'Is ze in orde?' Zijn ogen lieten die van Jim geen moment los.

'Ze heeft vanmorgen een ernstig ongeluk gehad. Ik ben bang… Ze heeft het niet gehaald.' Jims hart brak nu hij zichzelf die afschuwelijke woorden hardop hoorde zeggen. Hij kneep zijn ogen dicht en liet zijn hoofd zakken.

Jack verstrakte. Zijn stem brak toen hij vroeg: 'Is… is ze ook dood?'

Zonder op te kijken knikte Jim. Hij had er verder niets meer aan toe te voegen..

Zwijgend draaide Jack zich om en liep tot Jims grote opluchting bij hem vandaan. Niet goed wetend wat te doen, bleef Jim in de deuropening staan en zag dat Jack zich op de bank helemaal in de deken wikkelde. In de foetushouding ging hij met zijn gezicht naar de rugleuning liggen. Jim zag bij iedere snik zijn rug schokken.

Toen Jim onder de douche vandaan kwam, realiseerde hij zich dat Jack waarschijnlijk de hele dag nog niets gegeten had. Omdat de jongen door zijn longontsteking nog niet fit genoeg was, was het overslaan van maaltijden een luxe die Jack zich nog niet kon permitteren. Jim kleedde zich aan en besloot een maaltijd in elkaar te flansen. Anne zou woest op hem worden als ze wist dat hij Jack aan zijn lot zou overlaten. Het zou geen uitgebreide maaltijd worden. Dat kon hij nu niet opbrengen. Bovendien deed hij het alleen voor die zieke knul. Zelf moest hij nu niet aan eten denken.

Hij trok een pak macaroni open, rulde wat gehakt en maakte saus uit een pakje, zonder verdere toevoegingen. Hij dekte vlug de tafel voor twee. Automatisch dekte hij de plaats waar Anne altijd zat. Zijn gezicht betrok bij de gedachte dat er nu een ander op haar stoel zou zitten. Jim staarde naar de lege plek. Met trillende handen schoof hij het bord één plaats op. Deze zit zou al pijnlijk genoeg worden.

Het eten stond opgeschept op tafel; een klein bord met een handje macaroni voor hem en een groot bord vol voor de jongen, die er nog van moest groeien. Gespannen riep hij Jack. Jim hoorde hem met tegenzin aan komen sloffen en schoof een stoel voor hem naar achter.

'Luister, knul. Ik weet dat het moeilijk is, maar je moet wel iets eten. Je weet dat Anne teleurgesteld in ons zou zijn, wanneer we de boel hier uit de hand zouden laten lopen.'

'Maar het is niet eerlijk. Iedereen om me heen gaat dood. Straks gaat u ook dood en dan ben ik helemáál alleen. Er is verder niemand meer die nog iets om me geeft.' Zijn gezicht was rood van het huilen.

'Ik ga helemaal nergens heen,' bromde Jim.

Jack schoof het overvolle bord naar achteren. 'Ik heb geen honger.'

Jim trok het bord terug. 'Je moet wat eten. Ik trouwens ook.' Hij lepelde een klein schepje saus uit het kannetje dat hij op tafel had gezet en gooide het over de witte macaroni. Daarna schepte hij drie grote scheppen saus bij Jack op zijn bord, die voorzichtig de boel door elkaar begon te roeren. Jim nam met tegenzin de eerste hap en probeerde daarmee het voorbeeld te geven aan Jack.

'Het is mijn schuld,' zei Jack.

Jim fronste zijn wenkbrauwen. 'Wat bedoel je daarmee?'

'Ze ging voor mij boeken kopen en kreeg toen het ongeluk.'

Jim was even stil. Hij voelde hoe er langzaam een golf van woede over hem heen kwam. Hij had zich nog helemaal niet afgevraagd waarom ze zo vroeg al op de fiets had gezeten. De razernij stuwde traag vanuit zijn tenen omhoog. Vaag herkende hij het gevoel als onrechtvaardig, maar hij kon er niets aan doen. De woede was te hevig om te negeren.

'Dus door jou…' begon Jim, maar viel midden in de zin stil toen hij de deurbel hoorde. Ze keken elkaar een moment aan, waarin de ontreddering van beide gezichten was af te lezen. Razendsnel nam Jim een beslissing en gaf een kort knikje naar boven. Jack begreep het en stond op. Hij stommelde haastig naar boven en sloot de deur van zijn slaapkamer. Jim liep ondertussen naar de deur en deed open.

'Jim, ik had niets meer gehoord en was bezorgd. Is alles goed afgelopen?' Henk keek hem zenuwachtig aan.

'Nee… Het is helemaal niet goed afgelopen,' antwoordde Jim. 'Kom binnen.'

Ze liepen naar de woonkamer en Henk keek vluchtig naar de deken en het kussen die nog op de bank lagen.

'Ik heb even op de bank gelegen,' verontschuldigde Jim zich haastig.

Ze namen plaats op de bank en Jim bracht Henk op de hoogte van wat Anne was overkomen. Henk werd steeds witter. Jim zag dat hij zich groot probeerde te houden.

'Heb je al contact met de begrafenisondernemer gehad?' vroeg Henk.

'Nee, nog niet. Ik bel hem morgen.'

'Zal ik anders contact met hem onderhouden? Ik kan me voorstellen dat er nu een hoop op je af komt.'

'Nee, bedankt. Dit zijn dingen die ik zelf moet doen. Hoe moeilijk het ook is.'

'Kan ik verder nog iets voor je doen? Heb je zin om samen een borrel te pakken, voordat ik ga?' Henk wachtte het antwoord niet af en was al onderweg naar de keuken, waar de glazen stonden.

Jim haastte zich achter hem aan en probeerde iets te verzinnen waardoor hij zijn collega vriendelijk, doch zeer beslist, de deur uit kon werken. Hij wilde alleen zijn en nadenken.

Henk bleef verbaasd in de keuken staan toen hij de gedekte tafel zag.

'Ik stoor je tijdens het avondeten, zie ik,' zei Henk lichtelijk verwonderd. 'En je hebt voor twee gedekt.'

'Ja,' mompelde Jim. 'Dat was stom van me. Macht der gewoonte.'

'Maar beide borden zijn opgeschept. Er is zelfs van allebei gegeten.' Henk keek verbluft. Hij wachtte duidelijk op een verklaring.

'Ik heb van beide borden gegeten,' was het enige dat Jim op tijd te binnen schoot. 'Ik weet ook niet waarom ik dat heb gedaan.'

De verbazing die bij Henk in zijn ogen te lezen was, veranderde op slag in bezorgdheid.

'Arme vent, je bent natuurlijk helemaal van slag. Dat is ook heel begrijpelijk, na alles wat je vandaag voor je kiezen hebt gehad. Ik ben zelf ook helemaal van de kaart.'

Jim greep meteen de gelegenheid aan om Henk naar huis te sturen. 'Als je het niet erg vindt, dan wil ik nu liever alleen zijn. Het is allemaal al moeilijk genoeg zonder gênante vragen waar ik geen antwoord op heb.'

'Natuurlijk. Sorry hiervoor. Als ik verder iets voor je kan doen, dan moet je me meteen bellen. Maakt niet uit wat het is en hoe laat het is, gewoon bellen.'

'Ik beloof het.' Jim duwde Henk richting de deur. 'Het is goed zo. Ga nu maar.'

Henk opende de voordeur en stapte naar buiten. Hij wilde nog iets zeggen en draaide zich om, maar Jim sloot de deur al achter hem.

'Kom maar naar beneden,' riep Jim in het trapgat. Zijn woede was inmiddels iets gekalmeerd. Hij vond het moeilijk, maar wist dat hij de jongen niets kwalijk kon nemen. Jack had niet achter het stuur van de auto gezeten. En ook al was de automobilist van rechts gekomen, die knakker had beter moeten opletten.

Boven klonk er gestommel. Halverwege de trap bleef Jack staan. Er stonden tranen in zijn ogen en hij keek alsof hij iets wilde zeggen. Onverwacht nam hij een spurt naar beneden en sloeg zijn armen om Jim en begon te huilen. 'Het spijt me zo,' snikte hij. 'Ik vond haar zo lief. Ik heb dit nooit gewild.'

Jim schrok van het plotselinge contact en keek neer op de huilende jongen. Maar in plaats van een emotionele verwantschap te voelen, vulde zijn hart zich toch langzaam met haat. Hij schudde de jongen van zich af, waardoor Jack achterover op de grond viel en onmiddellijk weer overeind krabbelde. Jim werd verscheurd door tegenstrijdige gevoelens. Hij wilde niet zo boos zijn, maar medelijden met de jongen hebben. En toch nam hij Jack kwalijk wat er gebeurd was. 'Als Anne gewoon thuis was gebleven, dan was er nu niets aan de hand geweest,' zei Jim.

Jack begon hartverscheurend te huilen. 'Ik heb dit toch nooit gewild.'

'Dat weet ik wel. Dat weet ik wel, maar het is zo moeilijk om te accepteren.' Voordat Jim er erg in had, klampte Jack zich opnieuw aan hem vast en begroef zijn hoofd tegen Jims borst. Verrast door Jacks vasthoudendheid, probeerde Jim met een halfslachtig gebaar de jongen van zich af te duwen. Toen dat niet lukte en hij de lange uithalen van het schokkende lichaam hoorde, sloeg hij uiteindelijk aarzelend zijn armen om hem heen. Er liepen tranen over Jims wangen, waarvan hij niet wilde dat Jack ze zag.

# De achtste dag

## HOOFDSTUK 16

De ochtend was vroeg begonnen voor Jim. Hij had zojuist zijn werk op de hoogte gesteld van zijn thuissituatie en had voor onbepaalde tijd vrij gekregen om alles te regelen. Het eerste wat Jim geregeld had, was een afspraak met de begrafenisondernemer, die meteen bij hem was langsgekomen. Samen hadden ze een en ander doorgenomen, waarbij Jim voor vragen kwam te staan die hij slechts met moeite kon beantwoorden. Er leek maar geen einde aan de pijnlijke vragen van die man te komen. Toen eindelijk het moment kwam dat de begrafenisondernemer de deur weer achter zich dicht trok, had Jim zich geen moment bedacht en had een volle fles vieux uit de kast getrokken.

Het was inmiddels het begin van de middag. Jim hing futloos over de keukentafel, met een hand onder zijn hoofd. In gedachten verzonken staarde hij naar de halfvolle fles vieux, toen hem te binnen schoot dat hij nog contact moest opnemen met Franklin. Hij leefde een beetje op bij die gedachte en met trillende hand schonk hij zijn lege glas opnieuw vol. Veel te hard zette hij de fles terug op de tafel en viste toen zijn telefoon uit het borstzakje van zijn overhemd. Het intoetsen van het juiste nummer bleek nog een hele klus. Omdat Jim doorgaans niet zo'n flinke drinker was, leken sommige cijfers hun plaats niet goed te weten en dansten nu maar wat over het toetsenbord. Met het puntje van zijn tong uit zijn mond lukte het hem toch om het goede nummer ingetoetst te krijgen.

'Met mij,' zei Jim toen Franklin opnam.

'Eindelijk! Is alles in orde?'

'Verre van. Er is iets verschrikkelijks gebeurd, maar dat wil ik niet over de telefoon bespreken.' Jim klonk vlak en vermoeid.

'Er is toch niets gevonden?'

Er viel even een korte stilte. Jim hoorde dat Franklin gespannen zijn adem inhield. 'Nee, er zijn geen belastende zaken gevonden. Dat zit voorlopig wel snor.'

'Wat is er dan loos? Je manier van praten maakt me ongerust.'

'Je woont hier in de regio, toch? Heb je tijd voor een strandwandeling? We... Ik zit met een probleem, denk ik.'

'Ja, dat is goed. Ik heb zelf ook nog iets waar we het even over moeten hebben. Ik ben toch een paar dagen vrij, dus we hebben…'

'Ja, ja, al goed. Laten we om drie uur afspreken op het parkeerterrein bij het Scum, dat jongerencentrum. Ken je dat?'

'Natuurlijk. Dat grote parkeerterrein tegen de Noordduinen. Ik wacht daar op je.'

'Tot straks.' Jim verbrak de verbinding en keek peinzend naar de telefoon in zijn hand. Hij gooide achteloos de telefoon op tafel en greep in dezelfde handeling zijn glas vast.

Jack lag nog op bed en kon geen reden vinden om eruit te komen. Het hoesten was gelukkig redelijk voorbij, maar hij voelde zich nog steeds niet lekker. Het ergste was nog wel dat iedereen om hem heen dood ging. Nu was alleen Jim er nog, maar Jack was gisteravond erg van hem geschrokken en daarom nu een beetje bang van hem. Jim was groot en boos en zei zelden aardige dingen, maar hij had Jack wel in zijn gezin opgenomen.

Met moeite hees Jack zich uit bed en liep in zijn pyjama naar het toilet. Beneden hoorde hij gestommel in de keuken. Jim was dus nog thuis. Ergens voelde Jack zich opgelucht. Hij had behoefte aan gezelschap, maar was tevens gespannen hoe Jim vandaag zou reageren op zijn aanwezigheid.

Zodra Jack een stap op de overloop zette, begon de oude houten vloer te kraken. Onmiddellijk werd hij geroepen. Jims stem klonk wat verward en niet helemaal toonvast.

'Ja,' antwoordde Jack met een klein piepstemmetje.

'Kom je zo naar beneden? We moeten wat eten.' Zijn stem klonk nu iets beter. Iets vriendelijker ook.

'Oké.' Jack haastte zich naar het toilet en deed vlug een plas. Onwillekeurig dacht hij terug aan het urineren in de hoek van de bunker. Hij had van zand een dammetje moeten maken om de dampende rivier te sturen, anders liep het zo naar het midden, waar hij de meeste tijd had doorgebracht. Drie keer raden hoe hij daarachter was gekomen. Opgelucht dat dit allemaal in het verleden lag, schudde hij de gedachte van zich af en haastte zich naar beneden.

Daar aangekomen zag hij Jim onderuitgezakt aan de tafel hangen. Hij zag er oud en moe uit. Zijn ogen waren bloeddoorlopen en hij had een beetje een rood gezicht. Afwezig staarde Jim hem aan.

'Je ziet er beter uit,' mompelde Jim.

'Ik voel me ook beter dan eerst.'

'Neem je je medicijnen nog trouw?'

'Ja, maar ze zijn wel erg vies.'

Jim staarde Jack een tijdje aan en haalde toen zijn neus op. 'Dat heb je met medicijnen. Als medicijnen aangenaam zouden smaken, dan zou iedereen ze als m&m's slikken.' De laatste woorden spuugde hij uit.

Jack fronste en keek hem vragend aan. 'Waarom?'

Weer viel er een stilte. Jim keek Jack nu net zo vragend aan en gaf uiteindelijk antwoord: 'Daarom.' Hij haalde zijn schouders op om zijn argument kracht bij te zetten.

Jack knikte, maar begreep er niets van. 'Wat gaan we eten?' probeerde hij het gesprek op een zinvoller onderwerp te brengen.

'Brood, denk ik. Jij mag smeren.'

Jack pakte twee borden uit de kast en zette ze op tafel. Uit de koelkast haalde hij een kuipje margarine en wat vleeswaren en zette die ook op tafel. Brood haalde hij uit de broodtrommel die op het aanrecht stond. Jim hield hem nauwgezet in de gaten.

'We hebben nog messen nodig,' zei hij, terwijl Jack net de besteklade optrok.

'Wordt aan gewerkt.'

'Dan is het goed.'

Jack reikte over de tafel naar de fles drank. 'Mag die weg?'

Vliegensvlug greep Jim de fles vast. 'Nee, laat die maar staan.'

Jack schoof de stoel die recht tegenover Jim stond naar achteren en ging erop zitten. Hij legde twee boterhammen op zijn bord en smeerde ze.

'Wat wilt u er op?' Hij keek Jim aan.

'Maakt niet uit, zolang het maar vlees is. En doe niet te zuinig.'

Jack knikte en pakte een pakje met vers gebraden gehakt. Het brood werd dik belegd. Toen hij klaar was, ruilde hij zijn bord met dat van Jim, die goedkeurend knikte.

'Je bent een goede knul.'

'Dank u.'

'Ik moet straks even weg. Red je het alleen?' Jim vouwde één van zijn boterhammen dubbel en stak hem in zijn mond. De boterham verdween bijna voor de helft.

'Ja hoor. Blijft u lang weg?'

'Dat weet ik nog niet. Als er in de tussentijd iemand aanbelt, doe dan maar niet open.'

Jack pakte een boterham uit de zak en legde die op zijn bord. 'Ik zal niet opendoen,' herhaalde hij.

Jim dacht even na. 'Heb je verder nog iets nodig?' Hij bedoelde er niets kwaads mee, maar terwijl de woorden over zijn lippen kwamen, schoot hem plots iets te binnen, waardoor zijn ingewanden nog warmer werden dan door de vieux die hij al de hele ochtend naar binnen had gewerkt. Zijn blik vernauwde zich en zijn handen maakten een vuist. 'Boekjes of zo?'

Jack kromp ineen. Van schrik gleed het mes uit Jacks hand en viel met veel lawaai op het bord. Hij kleurde tot diep achter in zijn nek, boog voorover en keek naar de tafel.

Jim schrok van de twee hatelijke woorden. Nog voordat hij er erg in had, waren ze al over zijn lippen gekomen. Meteen had Jim er spijt van, maar hij durfde de woorden niet meer te corrigeren uit angst de situatie nog erger te maken.

Jim gromde gefrustreerd en stond plotseling op, waardoor zijn stoel met een harde klap achterover viel. Jack schrok en verkrampte door het geluid, terwijl hij nog steeds naar de tafel staarde.

Zonder verder nog iets te zeggen, griste Jim de tweede boterham van zijn bord en liep naar de voordeur. Hij draaide zich om en wilde zeggen dat het allemaal wel goed zou komen, maar hij wantrouwde de woorden die door de drank over zijn lippen zouden komen. Zijn woede kwam in golven en had hem nog steeds stevig in zijn greep. Achter zich hoorde hij de jongen zachtjes huilen. De woorden die hij nu zou zeggen konden onmogelijk herstellen wat hij had aangericht. Hij draaide zich weer om en liep de deur uit. Met een luide klap smeet hij de deur in het slot. Jack bleef alleen aan de tafel achter.

Jim liep naar de auto, maar zag in dat zijn drankgebruik het autorijden inmiddels verbood en pakte zijn fiets. Met zijn vertroebelde geest fietste hij vanaf de Commandeurslaan naar de Baron van Wassenaerlaan en reed het tunneltje onder de provinciale weg door. Aan zijn linkerhand lag de Zanderij. Vol walging bekeek hij de nieuwbouw die op de voormalige landerijen verrees. Zijn favoriete stukje Katwijk was voorgoed vernield. Met een afkeurende frons op zijn rode gezicht, fietste Jim verder. Toen hij halverwege de rit op de Parklaan uitkwam, keek hij op zijn horloge en zag dat hij ruim een uur te vroeg aan zou komen op de parkeerplaats. Dat kwam mooi uit, dan kon hij zijn hoofd wat helderder krijgen door wat door het dorp te fietsen.

Jack veegde zijn tranen af en ruimde de tafel leeg. Hij kon geen hap meer door zijn keel krijgen. De beschuldiging die verscholen lag in de twee simpele woordjes hadden zich als een giftige slang in zijn ziel vastgebeten. Overmand door schuld liep hij de trap op en douchte zich. Daarna ging hij in zijn kamer op bed liggen en dacht aan zijn vader en aan Anne. Wat moest hij doen nu er niemand meer van hem hield? Hij dacht aan zijn school en vroeg zich af wanneer hij daar weer heen kon. Hij wist van Anne dat hij daar nog even mee moest wachten tot ze iets gevonden hadden om te voorkomen dat Jack bij hen werd weggehaald. Maar nu was alles alweer anders. Hij had zelfs geen foto's meer van zijn ouders. Hoewel alles nog in zijn oude huis lag, had hij nu niets. Hij zou Jim eens voorzichtig vragen wanneer hij thuis wat spullen mocht halen.

Jim en Franklin wandelden zwijgend over de brede uitwatering naar het strand aan de Katwijkse kant.

'Wat doet dat ding nou eigenlijk?' vroeg Franklin terwijl hij naar de watering knikte.

'Die pompt het overtollige Rijnwater de zee in,' antwoordde Jim vlak.

'Oh. Waarom dan?'

'Anders krijgen ze in sommige delen van Nederland natte voeten.'

'Ah.'

Jim zag aan Franklins gezicht dat het antwoord niet veel verduidelijkte, maar hij had geen zin om er verder op in te gaan.

Ze sjokten verder het strand op. Pas ter hoogte van het eerste standpaviljoen dat ze tegenkwamen, verbrak Jim de stilte. 'Ik heb het gevoel dat ik op knappen sta.'

'Hou je niet van een beetje spanning?' vroeg Franklin onnozel.

Hulpeloos schudde Jim zijn hoofd. 'Niet zoals het nu gaat. Mijn vrouw is gisteren onverwacht overleden.'

'Dat meen je niet!' Franklin keek geschrokken op. 'Maar dat is vreselijk voor je. Hoe kan dat nou?'

'Ze heeft een ongeluk gehad toen ze voor de jongen wat boekjes wilde halen.'

Franklin sloeg zijn hand voor zijn mond, maar zei verder niets, dus vervolgde Jim: 'De jongen is op zich niet zo'n kwaaie, maar ze is wel voor hém op die fiets gestapt.'

Franklin haalde zijn schouders op. 'Dat kun je hem toch niet kwalijk nemen? Het is nog maar een kind. Maar nu we het toch over die jongen hebben,' begon Franklin voorzichtig. 'Ik weet dat het afschuwelijk klinkt, zeker nu, maar ik heb vandaag op Youtube een filmpje gezien waarin de grootouders van de jongen een beloning van vijftigduizend euro uitloven voor degene die met de gouden tip komt.'

'Wat wil je daarmee zeggen?' vroeg Jim behoedzaam.

'Toen ik je vertelde dat ik links en rechts wat schulden heb, heb ik mezelf misschien wat voorzichtig uitgedrukt. Ik loop al drie jaar in de schuldsanering. De enige reden dat ik mijn auto nog heb, is omdat ik hem voor mijn werk nodig heb, anders hadden ze die ook afgepakt.'

'Nou, draai er niet omheen,' snauwde Jim ongeduldig.

'Ik had bijna een ton schuld, waarvan ik nu ongeveer twintigduizend euro heb afgelost. Ik heb een plan. Als we die jongen overdragen en ik mag die beloning hebben, dan help ik jou om volledig buiten beeld te blijven. Geen geruïneerde carrière, maar gewoon je pensioen en niet de angst dat je als smeris de bak indraait.'

Jim kon zijn oren niet geloven. Was die vent soms zwakzinnig? 'En hoe had je dat geld dan gedacht te krijgen?' vroeg Jim neerbuigend. 'Je weet dat die mensen dood zijn.'

'Ik heb een paar telefoontjes gepleegd. Dat geld zit in een fonds en wordt gewoon na het overlijden door een notaris uitgekeerd.'

Jim knikte. Hij was zijn grootste verbazing te boven en wist nu hoe dit ging uitpakken. Blijkbaar had hij zich toch ernstig vergist in Franklin. 'Je hebt wel je huiswerk gedaan, moet ik zeggen.'

'Hoe denk je erover?' vroeg Franklin voorzichtig.

'Wat denk je nou zelf? Dat ze geen vragen gaan stellen? Ik kom zelf uit dat wereldje. Ze hebben binnen tien minuten door hoe de vork in de steel zit.' Jim balde zijn vuisten. 'Ik heb net mijn vrouw verloren! Ik kom bij je voor wat steun en dan kom jij met zo'n belachelijk plan aanzetten. Doe eens een gokje hoe ik erover denk.'

'Jammer dat je zo reageert.'

'Als geld in alles jouw drijfveer is, hoe weet ik dan nog wat ik aan je heb?'

Franklin zei niets. Zijn zwijgen maakte Jim woedend. Hij pakte Franklin bij zijn jas en trok hem naar zich toe. 'Besef je wel wat je jezelf op de hals haalt als je voor die beloning gaat? Ze geven dat geld echt niet aan de eerste de beste die met een onsamenhangend verhaal vol hiaten komt. Je wordt zelf ook helemaal doorgelicht.'

'Dat heb ik er wel voor over,' snauwde Franklin.

Jim ontstak in woede door de gespeelde naïviteit van Franklin. Hij liet Franklins jas los en sloeg hem zonder te twijfelen met een stevige vuist recht in zijn gezicht.

Een stelletje strandwandelaars deinsde geschrokken weg bij de twee ruziënde mannen. Jim zag vanuit zijn ooghoeken dat ze elkaar verontwaardigd aankeken.

Franklin incasseerde de klap behendig en nam een verdedigende houding aan. Jim was niet van plan zich daar iets van aan te trekken en deelde meteen de volgende klap uit. Met gemak weerde Franklin deze af, greep Jims arm vast, draaide hem om en ineens zat Jim vast in een houdgreep. Hij voelde een harde por in zijn rug en belandde voorover met zijn gezicht in het zand. Franklin zat bovenop hem, met zijn knie pijnlijk op Jims rug gedrukt.

'Rustig maar. Je trekt de aandacht,' zei Franklin kalm.

'Kan me niet schelen. Je verpest alles door je inhaligheid! Er is een andere oplossing.'

Jim worstelde tevergeefs om onder Franklins knie uit te komen. Hij had niet verwacht dat Franklin zich kon verdedigen. Alweer een onvergeeflijke vergissing.

'Wat voor oplossing heb je in gedachten?'

'Als je me loslaat, kan ik het je laten zien.'

'Dat denk ik niet. Ik laat je pas los, als je jezelf normaal kunt gedragen.'

'Definieer normaal, wanneer je net je vrouw verloren hebt en de enige persoon die je dacht te kunnen vertrouwen alleen geïnteresseerd is in geld.'

'Goed, daar zit wat in. Laten we er eens rustig als volwassen mannen over praten.'

Jim staakte zijn verzet en overwoog Franklins woorden. De machteloze frustratie die zojuist nog door zijn aderen stroomde, nam wat af, waardoor hij iets rationeler kon denken. Hij ademde diep in en liet langzaam de lucht aan zijn lippen ontsnappen. 'Ik liet me even gaan. Het gaat alweer.'

'Oké, maar als je me weer aanvalt, dan leg ik je meteen neer en breek ik dit keer onmiddellijk je rug. Ik heb al zo'n tien jaar de zwarte band in karate en ik ben niet van plan me door een oude vent in elkaar te laten slaan. Dat bedoel ik niet beledigend.'

Jim snoof. 'Zwarte band? Gelukkig, ik was al bang dat ik echt oud begon te worden.' Hij moest op zijn tanden bijten toen hij Franklin zag glimlachen om zijn opmerking. Hetzelfde moment glom er alweer hebzucht in zijn ogen. Waarom had hij dat niet eerder gezien? Dit zou niet meer goed komen tussen hen. Er stond teveel op het spel. Voor beiden. Met een gekneusd ego krabbelde hij overeind en klopte het zand van zijn kleding.

'Er moet hier toch een oplossing voor te vinden zijn?' vroeg Jim.

Franklin deed alsof hij nadacht. 'Je zou me schadeloos kunnen stellen.'

'Je bedoelt toch niet wat ik denk dat je bedoelt?'

'Hoeveel spaargeld heb je?' vroeg Franklin zo nonchalant mogelijk.

Jims ogen schoten vuur. Hij greep Franklin vast en probeerde hem een knietje in zijn maag te geven. Franklin zag de beweging ruim op tijd aankomen en plaatste met de knokkels van zijn vuist een gerichte stoot bovenop de knieschijf van Jim, vlak voor deze hem kon raken. Jim kreunde van de pijn en besloot zich even in te houden. Wandelaars liepen inmiddels met een grote boog om de twee mannen heen, maar één man die met zijn hondje liep te wandelen, had geamuseerd staan toekijken en kwam nu op hen aflopen.

'Beschouw dit maar als je laatste waarschuwing,' reageerde Franklin rustig. 'Ik wil dit net zo graag als jij oplossen.'

'Je bent anders niet erg toegeeflijk.'

Franklin haalde zijn schouders op en zei: 'Je geeft me ook niet veel ruimte.'

De wandelaar was met zijn hondje inmiddels bij Jim en Franklin komen staan. De Chihuahua scharrelde nieuwsgierig om beide mannen heen. De man keek Franklin aan en vroeg: 'Heren, hebben we een probleem?'

'Pardon?' vroeg Franklin.

Jim keek verrast naar de kleine, gedrongen man. De man zag er gedistingeerd uit. Hij droeg een lange, grijze regenjas over zijn arm. Zijn stem klonk vriendelijk en kalm.

Jim antwoordde: 'Dit zijn uw zaken niet. Loop maar door.'

Franklin zette onverwachts een stap richting de man. 'En snel ook, anders schop ik dat hondje van je terug naar Mexico.'

Vlug raapte de man zijn hondje van het strand, maar was verder allerminst onder de indruk en keek zelfs wat geamuseerd. 'Wat gevat. U weet dat een Chihuahua een Mexicaans hondenras is,' reageerde de man.

'Kunt u ons nu misschien met rust laten?' Jim begon ongeduldig te worden.

'Natuurlijk kan dat, zodra jullie je onenigheid niet meer in het openbaar uitvechten. Er lopen hier ook kinderen rond die dit gedrag niet zouden moeten zien.'

Jim dacht koortsachtig na. Ze moesten hier inderdaad weg. Ze vielen veel te veel op. Maar omdat hij Franklin nu niet meer durfde te vertrouwen, verloor hij hem liever niet uit het oog. Hij was ervan overtuigd dat Franklin meteen naar de politie zou stappen en hem zou verraden voor het geld. Als hij hem nu liet gaan, dan zou alles voor niets zijn geweest. Tenzij hij de boel wist te sussen, zodat hij wat tijd kreeg om te bedenken hoe het nu verder moest tussen hen.

'U hebt volkomen gelijk,' zei Jim. 'We houden ermee op. Ons meningsverschil kunnen we beter elders voortzetten.'

Hij pakte Franklin aan de mouw van zijn jas, negeerde de wantrouwende blik die hij kreeg en trok hem met zich mee.

Buiten gehoorsafstand van de man vroeg Franklin wat Jim van plan was.

'Ik neem je mee naar mijn huis. We moeten dit uitpraten. Je realiseert je volgens mij niet helemaal wat de gevolgen van je beslissing voor het genootschap zijn.'

'Hoezo? Die laten we er toch buiten?'

'Dat gaat niet! Ze gaan toch onderzoeken waarom de jongen ontvoerd is? Jij bent de eerste verdachte, omdat jij wist waar de jongen uithing. Denk je echt dat ze je het geld zomaar geven? Ook voor het voortbestaan van het genootschap is het belangrijk dat we weer op één lijn komen.'

'Toegegeven, maar wat doen we wanneer we in een impasse terechtkomen?'

'Dat zien we dan wel weer. Voor ieder probleem is uiteindelijk wel een oplossing te vinden.'

Ze liepen ieder in hun eigen gedachten verzonken terug naar het parkeerterrein en stapten beiden in Franklins auto. Jim liet zijn fiets staan. Die zou hij later nog wel ophalen. Hij hoopte dat het een goed besluit was om Franklin naar zijn huis te halen, maar hij had er eerlijk gezegd geen goed gevoel over. Maar wat moest hij dan?

# De avond van de achtste dag

## HOOFDSTUK 17

Op aanwijzingen van Jim parkeerde Franklin de auto achter de donkerblauwe Opel Astra die nog steeds op de oprit geparkeerd stond. Beiden stapten tegelijk uit. Jim liep zwijgend voor hem uit naar de achterdeur en hield deze voor Franklin open.

Franklin liep voorop en nam plaats aan de eettafel. Zodra Jim de fles vieux, die nog steeds op tafel stond, in het oog kreeg, begon hij te grijnzen alsof hij een oude vriend terug zag. Hij griste twee longdrinkglazen uit een keukenkastje en schonk ze beide voor een kwart vol. Zuchtend liet hij zich in de stoel tegenover Franklin zakken, die de beige jaren zeventig keuken in zich op nam. Jim deed alsof hij het afkeurende gezicht van Franklin niet in de gaten had.

'Dit lust je toch wel?' vroeg Jim in een poging de stilte te doorbreken.

'Natuurlijk, maar ik moet zo nog rijden.'

'Ga je nu ineens het heilige boontje uithangen?'

Franklin grijnsde. 'Dat niet, maar met mijn hobby moet je voorzichtig zijn en verder alles proberen te vermijden waardoor je met smerissen te maken krijgt.'

'Dat is toch juist waarvoor we hier zitten?' vroeg Jim verbaasd.

Franklin haalde zijn schouders op. 'Voor die vijftigduizend euro zet ik al mijn principes opzij.'

'Blijkbaar.'

'Jij niet dan?'

'Nee. Geld is niet het belangrijkste in het leven. Vrijheid daarentegen wel.'

'Rot op, joh. Vrijheid kun je kopen. Als je maar genoeg geld hebt.'

De woede en frustratie die Jim sinds het ongeluk van Anne als een kolkende rivier door zijn aderen voelde stromen, kon hij met moeite ingedamd houden. Dat constante gezeik over geld werkte echter als een stormram, die bij ieder woord brokstukken uit de stutten van die dam sloeg.

'Wat denk je ermee te winnen door me te provoceren? Je wekt niet bepaald de indruk dat je tot een oplossing wilt komen. Het enige dat je met je ondoordachte woorden bereikt, is dat er bij mij onderhand rook uit mijn oren komt.'

Franklin keek Jim spottend aan. Drie seconden lang vochten hun blikken een strijd uit die slechts de sterkste kon winnen. Toen spatte de zelfingenomen blik van Franklin in duizend stukken uiteen en keek hij hulpeloos naar Jim.

'Je hebt gelijk,' zei Franklin. 'Zo erg ben ik nou ook weer niet. Ach, laat ook maar.'

Met een enorme klap sloeg Jim met zijn vuist op het tafelblad. Franklin verstijfde.

Langzaam ademde Jim uit. De inwendige rivier van woede werd iets rustiger en beukte even niet meer tegen de dam.

'Luister Jim,' begon Franklin weer. 'Ik heb dat geld gewoon nodig. Als ik dat kind niet van je mag uitleveren, dan moeten we er iets anders op verzinnen. Als jij me dat geld kan geven, is het voor mij ook goed. Je carrière is je toch wel iets waard?'

'Probeer je me nu te chanteren?'

Franklin dacht even na over zijn antwoord. 'Nee, ik probeer tot een oplossing te komen. Ik ben nog nooit zo dicht bij zo veel geld geweest. Voor mij voelt het alsof ik de hoofdprijs in een loterij win.'

'Je hebt er niets aan. Je moet er je schulden mee aflossen.'

'Ik denk dat we allebei wel weten wat ik met dat geld ga doen. Ik ga het gebruiken om mijn eigen geld terug te winnen, zodat ik mijn schulden ermee kan afbetalen.'

'Je wilt alles om je heen op het spel zetten, zodat je weer even lekker kunt gokken? Wat is er toch mis met je? Als die jongen dit huis verlaat, dan is Anne voor niets gestorven. Ik heb haar nog nooit zo gelukkig gezien als de laatste twee dagen.'

Jack schrok wakker van een harde klap die beneden klonk. Hij zat rechtop in bed en luisterde in het donker naar de zwakke stemmen die vanuit het trapgat klonken. Hij herkende de stem van Jim, maar de tweede stem was van een vreemde. De woorden waren onverstaanbaar. Hij wilde geen problemen meer veroorzaken en was van plan om alleen even een vlugge plas te doen en daarna weer snel in bed te kruipen. Het leek wel alsof hij moe bleef. Jack keek op de wekker naast zijn bed. Het was al half vijf. Hij besloot meteen zijn medicijnen voor de avond maar in te nemen. Hij nam aan dat de longontsteking de oorzaak was van zijn constante vermoeidheid.

In slakkengang schuifelde hij over de overloop naar de badkamer, waar het toilet was. Jack stapte de drempel over en trok de deur achter zich dicht. Toen hij voor het toilet stond, realiseerde hij zich dat hij nu flarden van het gesprek kon verstaan. De badkamerdeur was vanzelf weer opengegaan, omdat hij hem niet goed in het slot had getrokken. Dat was hem de afgelopen dagen al een paar keer eerder overkomen.

Hij hoorde Jim iets zeggen over onbeschoft en Jack spitste zijn oren. "…Probeer je me nu te chanteren…" Toen werd het ineens stil. Door het gekletter in de pot kon hij niets meer horen van wat er verder gezegd werd. Eindelijk was hij klaar en schuifelde naar de wasbak om zijn handen te wassen. Thuis wilde hij dat nog wel eens vergeten, maar gebleken was dat Anne dit erg belangrijk vond, dus lette hij er sinds een paar dagen heel erg op. Het laatste dat hij wilde was dat ze hem een viespeuk vond.

Ineens hoorde hij het gemurmel verder gaan en verstijfde toen iemand de naam van Anne noemde. Vlug droogde hij zijn handen, holde op een drafje naar zijn slaapkamer en griste zijn konijn uit bed. Met zijn knuffel stevig in zijn armen, sloop hij terug naar de overloop. Daar ging hij in kleermakerszit boven aan de trap zitten luisteren naar beide mannen. Als het over Anne ging, wilde hij geen woord missen.

'Dan zit er niets anders op dan dat je je spaarrekening met me deelt.' Franklin keek Jim strak aan. Zijn bui van daarnet was blijkbaar alweer voorbij. Dit was weer de Franklin waar Jim zich zo in vergist had. De dorpsgek van waar het ook was waar hij woonde.

De stormram beukte weer met een harde klap tegen de voorste stutten van de dam.

'Zoals ik het zie, heb ik gewoon recht op die beloning en als jij dat geld bij me weg wilt houden, dan moet je me maar schadeloos stellen.'

'Ik ben niet van plan om mijn zuurverdiende geld aan een waardeloze gokverslaafde als jij te geven.'

'Dan ga ik naar de politie. Die willen me wél het geld geven voor de informatie die ik heb.' Een zelfvoldane grijns gleed over Franklins lippen, maar verdween direct toen zijn ogen die van Jim ontmoetten.

'Als je naar de politie gaat, breng je ook het genootschap in gevaar en teken je daarmee je doodvonnis. Er moet nog een andere oplossing zijn. Denk goed na over je antwoord, want ik kan niet zoveel meer van je hebben!' Jim keek hem dreigend aan.

Op de overloop verstond Jack ieder woord. Er biggelde langzaam een traan over zijn wangen. Misschien moest hij toch weg omdat die vreemde man dat wilde. Jack miste zijn vader. En zijn opa en oma. Over zijn andere wang liep ook een traan. En Anne. Hij miste Anne ook. Ze was zo lief en bezorgd geweest toen hij het nodig had. Hij wilde hoe dan ook naar haar begrafenis. Hij wist niet eens precies hoe het nou zat met de lichamen van zijn vader en die van zijn opa en oma en dat was al erg genoeg.

Beneden hoorde hij Jim de vreemde man waarschuwen goed na te denken. Jack was benieuwd. Hij hield zijn konijn steeds steviger vast en hoopte dat de man nu iets zou zeggen waardoor hij niet naar een weeshuis hoefde. Hij had al genoeg moeten inleveren.

'De andere oplossing is dat ik je nu van kant maak, zodat je niet meer tussen mij en mijn geld staat.'

De stormram sloeg twee stutten weg. De dam boog onheilspellend ver door en leek het nog maar nauwelijks te houden. De kolkende rivier van machteloze woede sloeg een fikse golf over de rand en begon te roken en te sissen toen het de gloeiendhete stenen van Jims wanhoop raakte.

'Mij met de dood bedreigen schiet niet op. Ik ben een smeris. Ze hebben binnen vijf minuten ontdekt dat jij de dader bent. Je telefoonnummer staat in mijn telefoon, je vingerafdrukken zwerven door de keuken en als ik een brul naar boven geef, is de jongen nog een getuige ook. De jongen die jij straks doodleuk komt afleveren. Hou nou toch eens op met die onzin!'

Franklin werd woest. Hij stond zo vlug op van de stoel, dat deze met een klap achterover viel. 'Je denkt toch niet dat ik me zo laat intimideren door een oude smeris, wiens piek al tientallen jaren achter hem ligt? Je bent niets! Je hebt niets! Je vrouw is dood! Je wilt een gejat kind koste wat het kost bij je houden. Een gejat kind dat je nota bene de schuld geeft van de dood van je vrouw! Wie denk je nou helemaal dat je bent?' schreeuwde hij in Jims gezicht.

Een paar seconden was de verslagenheid van Jims gezicht af te lezen. 'Jij misselijk stuk braaksel,' zei hij hulpeloos.

Franklin schoot in de lach. Een valse, sarcastische lach, die nog het meest weg had van het krassen van een kraai.

Jack verstond alles haarscherp. Toen hij de vreemde man in de lach hoorde schieten door de verschrikkelijke dingen die hij tegen Jim had gezegd, sloeg hij geschokt zijn hand voor zijn mond. In zijn hart brak iets. Hij haatte deze vreemde man tot in het diepst van zijn ziel.

Franklin was nog niet helemaal uitgelachen toen Jim hem bij de kraag van zijn overhemd greep en zijn gezicht vlak voor dat van hem trok. Met de keukentafel tussen hen in stonden ze oog in oog, beiden met een blik vol haat, tot Franklin walgend zijn hoofd opzij draaide. 'Lekker, die drankadem van je. Is dit nou wat er van je geworden is? Een dronken, oude zuipschuit die niet meer weet wanneer het spel is afgelopen? Geef het toch op. Het is voorbij.'

Jim verstevigde zijn greep op Franklins kraag en trok zijn gezicht weer vlak voor het zijne. 'Het spel is inderdaad voorbij,' siste hij.

In één vloeiende beweging trok Jim Franklin over de tafel heen en smeet hem tegen de servieskast. Met zijn schouder viel Franklin door de glazen deur, waardoor de middelste twee planken doormidden braken. Een hele lading borden en kopjes van het chique, geërfde servies, dat alleen met feestdagen gebruikt mocht worden, viel in honderden scherven op de grond.

Als luciferstokjes versplinterden de laatste stutten van de dam. Met oorverdovend geraas scheurde de dam open en nam de resterende stutten mee in de vernietigende stroom haat die Jims lichaam verkankerde. Hij hield zich niet langer in.

'Het houdt nu op!' schreeuwde Jim hysterisch. Hij trok Franklin tussen het gebroken porselein vandaan en smeet hem met al zijn kracht tegen het aanrecht. Franklins rug ramde hard tegen het roestvrijstalen aanrechtblad.

Jack raakte in paniek toen beneden het oorverdovende kabaal klonk van verbrijzeld glas. Bezorgd om Jim dwong hij zichzelf overeind en liep haastig de treden af. Hij was al beneden toen er een doffe bons klonk. Hij hoefde maar twee stappen opzij te zetten om de keuken in te kijken, maar hij durfde niet, bang voor wat hij zou zien.

Door de klap waarmee Franklin tegen het aanrecht sloeg, hoorde Jim zijn botten kraken. Of verbeeldde hij zich dit nou? Het zou niet verkeerd zijn. Hij zou die nietsnut eens een lesje leren.

Franklins ogen vernauwden zich. Jim zag hem alsmaar kwader worden en wist dat hij nu vlug iets zou moeten doen, voordat Franklin in blinde razernij zou ontsteken. Hij gaf hem regelrecht een kopstoot, nu Franklin daar nog niet op bedacht was. Meteen daarna deelde hij een tweede uit en een derde. Met zijn rug tegen het aanrecht kon Franklin geen kant op. Zijn nek en oogkassen kregen het het zwaarst te verduren. Franklin probeerde Jim bij zich vandaan te duwen.

'Wacht maar tot ik weer overeind sta!'

'Jij komt voorlopig niet meer overeind.' Jim spoog de woorden uit en schopte Franklin in zijn maag. Franklin reageerde vlug, greep de voet vast en draaide hem om, zodat Jim een vreemde draai moest maken om zijn been niet te breken. Hij belandde naast Franklin op de vloer.

'Oh, daar is Karate Kid weer. Vecht toch als een Hollander!'

Jim probeerde zich om te rollen en zich zo weer bovenop Franklin te storten, maar met een simpele elleboog tegen zijn borst wist Franklin dit te voorkomen.

Jim wilde bij hem uit de buurt komen door nog een keer dezelfde om-rolbeweging te gebruiken, maar Franklin reageerde even vlug als eerst en wilde voor de tweede keer zijn elleboog in de maag van Jim stoten. Jims plannetje werkte. Doordat hij nu bedacht was op Franklins reactie, weerde hij de stoot behendig af en greep met zijn andere hand de vingers van Franklin stevig vast in zijn vuist. Franklin probeerde Jim met de geballe vuist van zijn andere hand een stoot op zijn kaak te geven, maar op het moment dat Franklin zijn hand terugtrok voor de stoot, zag Jim deze al van verre aankomen. Hij boog de vuist die Franklins vingers vasthielden achterover, de verkeerde kant op. Met een gedempt gekraak brak hij op die manier drie van Franklins vingers. De man krijste. Nu was het Jims beurt om kort te grijnzen.

'Nu jij weer, Karate Kid. Vertel nog eens wat je net tegen me zei!'

Jim stond op, liet Franklins gewonde hand los en smeet de man hard tegen de rand van het aanrecht. Franklin schreeuwde het uit en omsloot zijn gewonde hand meteen met zijn goede hand. Voorzichtig gluurde hij naar zijn hand en nam de schade op.

'Je hebt mijn vingers gebroken, gevaarlijke gek!' riep hij, leunend op een knie.

'Zet dat geld uit je hoofd, anders breek ik nog veel meer bij je!' Jim kwam dreigend op hem af lopen.

'Nooit, en je hebt je nu genoeg kunnen afreageren op mij vanwege dat dooie wijf van je. Nu is het mijn beurt.' Met een energiek gebaar sprong Franklin overeind. Zijn gewonde hand hield hij nog steeds voorzichtig vast.

'Hoe noemde je Anne?' schreeuwde Jim woedend en voordat hij er zelf erg in had, greep hij één van de eettafelstoelen en zwaaide ermee naar Franklin. Deze wilde de stoel in een reflex opvangen, maar kromp in elkaar van de pijn, toen hij zijn gebroken vingers wilde strekken. Vliegensvlug nam hij een andere verdedigende pose aan en probeerde de klap nu af te weren door in de lucht te springen en met zijn voet de stoel weg te trappen. Doordat Franklin te laat sprong, sloeg Jim zo hard als hij kon de stoel tegen Franklins benen, nog voordat deze de kans kreeg om een schop te geven. De zware eikenhouten stoel bleef heel en Franklin viel achterover op de grond. Jim zwaaide de stoel opnieuw door de lucht en hief hem hoog boven zijn hoofd. Jim wilde de stoel bij Franklin op zijn hoofd terecht laten komen, maar door de lange slag die Jim daarvoor nodig had, had Franklin meer dan genoeg tijd om zich op zijn zij te draaien. Met haast bovenmenselijke snelheid kreeg hij het voor elkaar om overeind te springen en Jim een knietje in zijn maag te geven, waardoor hij de stoel achter zich op de grond liet vallen. Meteen daarna stootte Franklin zijn elleboog tegen Jims kaak. Jim bleef bij bewustzijn, maar zakte als een zak aardappelen in elkaar en hapte raspend naar lucht. Franklin bleef naast hem staan en keek op hem neer met een van pijn vertrokken gezicht. Hij had zijn verkeerde arm moeten gebruiken.

Jack kon maar moeilijk geloven dat mensen zulke gemene dingen konden zeggen. Het brak zijn hart om te horen hoe ongevoelig de vreemde over Anne praatte.

Er werd panisch geschreeuwd en zo te horen vielen er rake klappen. Jack wist niet wat hij moest doen. Hij was bezorgd om Jim, maar hoopte tegelijkertijd wel dat hij de vreemde man een flink pak slaag gaf. Maar Jim was al redelijk oud en de vreemde stem klonk nog vrij jong. Of in ieder geval een stuk jonger dan Jim. Aarzelend stapte Jack de keuken in.

Jim had een eetkamerstoel in zijn handen en sloeg de vreemde man er hard mee tegen zijn benen. Het liefst was Jack terug gerend naar zijn slaapkamer, maar nog voordat hij zich had kunnen omdraaien, zag hij hoe de vreemde zich omrolde, opsprong en Jim een knietje in zijn buik gaf, meteen gevolgd door een elleboog tegen diens kaak. Jim zakte op de grond en kreunde pijnlijk. Jack wilde iets doen en zette aarzelend een paar stappen in de keuken. Snuf hield hij stevig aan een pootje vast. De lange oren sleepten over de vloer. Jack twijfelde of zijn binnenkomst een verstandige zet was.

Franklin wreef met zijn goede hand over zijn pijnlijke benen en hoorde plots een snik vlak achter zich. Met een ruk draaide hij zich om en nam een verdedigende houding aan, waarbij hij zijn gebroken vingers ontzag. In de deuropening van de keuken stond een klein jongetje in een pyjama met raceauto's erop. Zijn haar zat warrig en hij had roodomrande ogen. Franklin ontspande en nam een normale houding aan. Dit moest die jongen zijn. Hoe heette hij ook alweer? Hij wist het niet meer.

Het ventje stond er maar met een ernstig gezicht, dat veel te oud voor hem leek. Zijn ogen stonden vol haat en keken Franklin strak aan.

Nog opgefokt door de adrenaline, was dit een blik waar Franklin zich aan ergerde. In een opwelling greep hij het ventje met zijn goede hand bij zijn schouder en smeet hem bovenop Jim, die zijn handen uitstrekte om hem op te vangen. De jongen gilde geschrokken.

'Wat een ontroerend gebaar,' zei Franklin sarcastisch.

'Kalm maar, Jack,' zei Jim. 'Het komt allemaal goed.' Jim boog zich dicht naar Jack en fluisterde iets in zijn oor. Franklin kon niet verstaan wat er gezegd werd, maar zag wel Jacks ogen langzaamaan steeds groter worden, tot hij uiteindelijk knikte.

'Schei eens uit,' zei Franklin onrustig. 'Nooit geleerd dat fluisteren in gezelschap erg onbeleefd is?'

Weer boog Jim zich naar Jack en fluisterde nog iets in zijn oor. Ook nu knikte Jack.

Ineens ging alles heel erg snel. Jim sprong overeind en dook opzij, terwijl hij Franklins gebroken vingers probeerde vast te grijpen. Franklin stond hiervoor net te ver weg en maakte van schrik een sprongetje naar achteren. Hetzelfde moment dat Jim overeind was gesprongen, stond ook Jack op en rende via de andere kant, langs de keukentafel, om Franklin heen. Omdat Franklin ook nog eens opzij sprong, kon hij Jack met geen mogelijkheid meer tegenhouden en zag tot zijn grote frustratie dat Jack de keuken uitholde. Terwijl hij met zijn ogen Jack volgde en zich afvroeg of hij hem moest achtervolgen, greep Jim zijn kans en deed opnieuw een uitval naar de gebroken vingers van Franklin.

Jack twijfelde geen moment aan zijn opgedragen instructies. Dit was het moment waarop hij zich kon bewijzen. Hij rende de trap op en holde de slaapkamer van Jim en Anne in. Hij wist precies wat hij zocht. Haastig trok hij op goed geluk de lade van het dichtstbijzijnde nachtkastje open. In één oogopslag zag hij liggen wat hij zocht en greep het met twee handen stevig vast. Hij maakte dat hij zo vlug mogelijk weer beneden kwam.

Jim dook naar Franklin en greep de hand met de gebroken vingers. Hij kneep en kneedde zo hard als hij kon, waardoor hij de gebroken botjes in de vingers over elkaar hoorde knarsen. Gillend van de pijn rukte Franklin zijn hand uit Jims vuist en deed een halfbakken poging Jim van zich af te slaan. Jim sloeg Franklin met zijn vuist enkele malen in zijn gezicht en hoorde de neus van zijn tegenstander breken, waarna deze meteen begon te bloeden. Dit belette Jim niet om door te blijven slaan.

Door al het bloed, dat Jim uit Franklins neus zag stromen, ebde de meeste adrenaline uit zijn lichaam weg en werden de stoten op het hoofd van Franklin minder fel. Toen hij achter zich een vreemd geluid hoorde, hield hij op met slaan en draaide hij zich om. Jack stond in de deuropening en hield met beide handen Jims dienstpistool vast. Aarzelend richtte hij het wapen op Franklin. Onder het pistool bungelde Snuf nog steeds aan één van zijn oren.

Franklin kreeg even de tijd om met zijn goede hand langs zijn neus te vegen. Hij volgde Jims blik naar de deuropening en slikte.

'Goed zo, knul,' zei Jim. 'Alles staat al in de goede stand, je hoeft alleen maar de trekker helemaal over te halen als hij wat probeert.'

Franklin schoof onopvallend langs het aanrecht en trok de meest voor de hand liggende lade open. De la naast de kookplaat bevatte inderdaad al het bestek, waaronder messen. Hij trok het grootste vleesmes eruit en draaide zich om. Jim stond inmiddels vlak bij Jack en wilde zijn hand op zijn schouder leggen. 'Geef het pistool nu maar aan mij.'

'Wacht even, knul,' zei Franklin haastig. 'Die man liegt. Hij is niet wie je denkt dat hij is. Je moet het pistool nog even niet aan hem geven.'

Onwillekeurig trok Jack het wapen terug uit Jims handen.

Jim keek Jack aan. 'Vergeet niet waar je bent en wie je gevonden heeft,' hielp Jim hem herinneren. 'En jij moet je smoel houden!' riep hij naar Franklin.

Ze stonden alle drie zwijgend tegenover elkaar.

'Voordat je me neerschiet, moet je misschien eens vragen wie hij echt is.' Franklin gaf met zijn hoofd een knikje naar Jim.

'Hoe bedoelt u?' vroeg Jack.

'Vertel de jongen maar waarom zijn vader dood is, Jim. Of heb je liever dat ik je Dimorf noem?'

Jack had intussen een paar stappen bij Jim vandaan gezet, zodat ze nu alle drie op gelijke afstand van elkaar stonden. Hij hield het pistool om de beurt op Franklin en Jim gericht.

'Wie is Dimorf?' Jack keek vragend naar Jim. Franklin leunde ontspannen achterover tegen het aanrecht en grijnsde zelfvoldaan naar Jim.

'Hij liegt!' riep Jim. 'Je vader is dood omdat iemand zich niet aan de opdracht heeft gehouden.'

Franklin knikte. 'Maar hoe weet jij dat dan?' vroeg hij tartend aan Jim.

'Op dezelfde manier als jij,' beet Jim terug.

Jack richtte het wapen weer op Franklin. 'Vertel me alles wat je weet,' zei hij en om zijn woorden kracht bij te zetten, wees hij nog eens extra met het wapen naar Franklin.

'Jim en ik zitten allebei bij een geheim genootschap. Sterker nog, wij zijn nu de grote bazen.'

'Het wordt tijd dat jij je kop gaat houden!' riep Jim.

'Laat hem uitpraten, alstublieft.'

'Wij zijn diegenen die besloten hebben om je te ontvoeren. Sylvia werkte voor ons.'

Jack keek geschokt. Vol ongeloof dwaalde zijn blik af naar Jim en hij liet ongemerkt zijn armen iets zakken. Jim zag zijn kans schoon om het wapen af te pakken, maar Jack verraste hem door zijn handen vliegensvlug omhoog te brengen en het pistool op hem te richten. Met een verbeten gezicht trok Jack de trekker naar achteren tot hij weerstand voelde en toen nog iets verder, door de beveiliging, zoals Jim had uitgelegd.

De knal was gigantisch en vulde de hele ruimte. Het wapen sloeg omhoog en spuugde aan de linkerkant een lege huls uit. Op hetzelfde moment sloeg de kogel in Jims bovenbeen. De huls stuiterde over de vloer. Na de geluidsexplosie was het doodstil. Niemand die meer iets zei of iets riep. Jim was achterover gevallen door de inslag en legde zijn handen op het rode gat in zijn been. In zijn oren hoorde Jack niets anders dan een fluitende pieptoon.

Langzaam kwam alle geluid terug en Jim schreeuwde van de pijn. Zijn been bloedde hevig uit de rafelige wond waar de kogel dwars doorheen was gegaan.

'Jack! Jij kleine, ondankbare klootzak!' schreeuwde Jim panisch. 'Je hebt me neergeschoten!'

Jack trilde over zijn hele lichaam.

Met een pijnlijk gezicht wreef Franklin met zijn goede hand over zijn oren. Er klonk een harde zoem in zijn oren. Voor de zekerheid deed hij maar een extra stap naar achteren. Die jongen was nog gekker dan die smeris!

Door de spanningen begon Franklin te grinniken. 'Goed gedaan, man!' riep hij enthousiast.

'Blijf van het wapen af,' zei Jack gespannen. 'Vertel nu verder.'

Franklin zag dat zijn kleine lichaam maar bleef trillen. Door de terugslag was het konijn uit zijn handen gevallen. Jack leek het niet meer te merken. Franklin schraapte zijn keel en vroeg zich af hoeveel hij de jongen zou vertellen. Als die kleine gek de waarheid niet aankon, had hij straks een kogel te pakken. Daar zat hij niet op te wachten.

'Sylvia zat bij ons in het genootschap. Dat is, zeg maar, een speciale club voor grote mensen.' Franklin klonk niet meer zo zelfverzekerd als eerst. 'En in ons genootschap wilde de grote baas graag een kind, jij, in dit geval, in de groep halen om slechte dingen mee te doen. Jim en ik wilden dat eigenlijk niet.'

'Wie was die grote baas?' vroeg Jack.

'Daar hoef je jezelf geen zorgen over te maken, die heeft vriend Jim hier al voor je koud gemaakt. Met een grote honkbalknuppel heeft hij zijn hersens ingeslagen. Dat had je vast niet achter die ouwe gezocht.'

Franklin hield Jack scherp in de gaten. Vluchtig keek Jack even naar Jim, die nog altijd op de grond, met zijn handen op de wond, lag te kermen. Hij uitte verbeten scheldwoorden die hij vanwege de pijn maar half afmaakte.

'Ga verder', zei Jack.

'Lang verhaal kort, Sylvia zou je bij ons brengen en toen dat maar niet gebeurde, zijn we je gaan zoeken. Jim heeft je gevonden en nu zijn we hier.'

'Hoe zit het met mijn vader?'

Franklin haalde nonchalant zijn schouders op. 'Blijkbaar liep hij in de weg of had hij haar door.'

'Dus hij moest helemaal niet dood?'

Franklin realiseerde zich dat hij moest opletten hoe hij zich uitdrukte. Hij wilde de jongen niet nog meer onder druk zetten bij dit gevoelige onderwerp. Dat pistool moest zo vlug mogelijk bij hem vandaan.

'Ik weet niet precies hoe dat gegaan is, maar misschien weet Jim daar meer van? Die heeft voor de politie het één en ander onderzocht.' Franklin keek Jim vragend aan.

Jim, die zijn naam hoorde vallen, hield op met kermen en ging zo goed en zo kwaad als dat ging overeind zitten.

'Wat?' snauwde Jim.

'Wat is er met mijn vader gebeurd?'

'We zijn er niet zeker van wat er is gebeurd. Sylvia moest op je passen en heeft je toen ontvoerd. We denken dat ze terug naar je huis is gegaan om nog wat sporen te wissen, waar ze door je vader is betrapt. Ze heeft je vader misleid en daarna vermoord.'

'Sylvia was een ordinaire snol!' riep Franklin geïrriteerd. 'We weten allebei waarom ze terug is gegaan! Doordat ze met die natte zuignap dacht, heeft ze dit hele gebeuren in werking gezet!'

Jack zei niets. Hij keek Jim zo teleurgesteld aan dat deze hem niet langer aan kon kijken en naar de vloer staarde. 'Luister verder niet naar hem', mompelde hij zacht. Hij rechtte zijn rug iets en haalde diep adem voor de volgende zinnen. 'Voordat je vader stierf, heeft hij met zijn laatste krachten Sylvia vermoord, om jou te beschermen tegen haar. Hij kon niet weten dat je al in een bunker zat. We hebben ze allebei gevonden toen ze niet meer in leven waren. Het spijt me echt, jongen.'

Jack liet alle woorden op zich inwerken en liet onbewust het pistool zakken.

Franklin was intussen weer een beetje bijgekomen. Zijn neus bloedde nog wel en deed nog erg veel pijn, maar hij kon in ieder geval weer iets ondernemen. Hij leunde tegen het aanrecht en volgde met zijn blik nauwlettend het zakkende wapen. Het mes had hij nu bij het lemmet vast. Hij zag nieuwe kansen.

'Let op je wapen,' zei Jim zwak, die rechts van Jack lag en Franklin scherp in de gaten was blijven houden.

'Houd je kop toch eens!' riep Franklin woedend. 'Ik wil hier onderhand wel een keer weg. Ik ben hier klaar mee.' Hij maakte een schijnbeweging naar Jack en gooide het mes als een messenwerper in het circus naar Jim. Het mes miste Jim met een halve meter. Meteen dook Franklin op Jack af en probeerde het pistool af te pakken, maar Jack had al een stap naar achteren gezet en daarmee de afstand tussen hen vergroot. Hij schrok van de plotselinge aanval op Jim en richtte het pistool op Franklin, die het wapen met zijn graaiende handen naar rechts sloeg, waarbij het opnieuw afging. Jim werd in zijn voorhoofd geraakt en achter hem verscheen een grote bloedvlek op de muur. In het bloed kleefden stukjes bot en weefsel, die langzaam naar beneden zakten en streperige slierten over het behang trokken.

Door de terugslag vloog het wapen uit Jacks handen en belandde met een plof op de vloer, voor de voeten van Franklin. Geen van tweeën had er aandacht voor. Ze keken allebei ontzet naar het kleine gaatje dat in Jims voorhoofd verschenen was.

Een nieuwe wolk kruitdamp zweefde door de keuken. Ergens in het huis klonk een harde klap en het versplinteren van hout.

Dit was de eerste keer dat Jack iemand zag sterven. Hij kon zijn ogen niet van het vertrokken gezicht van Jim afhouden. Uit het kleine gaatje droop een smal spoortje bloed, dat precies door één van de wijd opengesperde ogen van Jim liep. Ergens schreeuwde iemand tegen hem, maar het drong nog niet helemaal tot hem door. Vanuit zijn ooghoek doemde er een schaduw op in de deuropening. Slechts met de allergrootste moeite kon Jack zijn aandacht voor het levenloze lichaam van Jim verbreken. Hij keek op en zag een oudere man staan, nog ouder dan Jim. Jack mocht de man meteen, omdat hij door zijn opengezakte mond net zo zorgelijk keek als Jack zich voelde.

Veel tijd om de situatie op zich in te laten werken had de man niet, want Franklin zag de man ook en beiden staarden naar het wapen dat op de grond lag. Voor Franklin kon reageren, dook de man er al op af. Aangespoord door deze beweging, bukte Franklin voorover en greep ook naar het wapen. Samen rolden ze over de vloer.

Jack ging naast het lichaam van Jim staan en keek peinzend naar de twee vechtende mannen. Hij hoopte dat de vreemde man het gevecht zou winnen, want Franklin was een hele slechte man.

Behoedzaam liet Jack zich op zijn achterwerk zakken en ging met opgetrokken knieën naast Jim zitten. Zijn hand pakte Jims vuist en het viel hem voor het eerst op hoe groot de knuisten van Jim eigenlijk waren. Hij kon met zijn hand maar drie vingers omvatten, maar dat was meer dan genoeg.

Er klonk een nieuwe knal, doffer dan de vorige twee. Franklin begon te krijsen en rolde op zijn zij. De vreemde man hield het wapen vast en had Franklin door zijn knie geschoten.

Toen Jack het nieuwe schot hoorde vallen, gevolgd door Franklins geschreeuw, verscheen er een valse grijns op zijn gezicht. Voor zijn voeten rolde de lege kogelhuls over de vloer. Met zijn vrije hand griste Jack deze van de vloer. De huls was gloeiend heet en verbrandde zijn vingers en handpalm, maar Jack voelde er niets van en hield hem stevig in zijn vuist. Hij keek naar de wond in Franklins knie. Er was vast veel beschadigd en dat gaf Jack een klein gevoel van rechtvaardigheid.

De man overmeesterde Franklin met gemak en belde met zijn mobiele telefoon het alarmnummer. Hij liet Jack zijn recherchepenning zien. 'Ik ben van de politie. Mijn naam is Henk. Is alles goed met je? Heeft iemand je pijn gedaan?'

Jack schudde zijn hoofd en bleef stevig de hand van Jim vasthouden. Henk boeide Franklin aan de pijpen van de centrale verwarming. Toen haastte hij zich naar Jim en legde zijn vingers in Jims nek. Hij keek Jack aan en schudde verdrietig zijn hoofd. 'Het spijt me, Jack.' Henk zakte door zijn knieën en drukte de jongen stevig tegen zich aan. 'Ik ben zo blij dat we je toch gevonden hebben.'

Binnen tien minuten krioelde het huis van de hulpdiensten.

Henk week niet van Jacks zijde toen het ambulancepersoneel hem onderzocht. Maar toen Henk verslag moest uitbrengen bij een andere rechercheur, was er even niemand die op Jack lette. Al die tijd bleef hij hand in hand naast het lijk van Jim zitten. Hij staarde naar Franklin, die stevig vastgegespt op een brancard lag en stond te wachten tot hij in de ambulance geladen werd. De scherpe randjes van zijn pijn werden door morfine verzacht. Voor het eerst kreeg Franklin in de gaten dat hij maar een klein metertje van Jack afstond.

'Psst,' siste hij naar Jack.

Jack wilde zijn kant niet op kijken, maar dat weerhield Franklin er niet van om met sadistisch genoegen te fluisteren: 'Weet je trouwens wat ons genootschap doet? Wat jouw lieve Jim met je wilde doen?'

Zonder op antwoord te wachten ging Franklin in één adem verder: 'Wij eten vlees. Mensenvlees. Jij stond op ons menu. En je komt vanzelf opnieuw op ons menu te staan, want we zijn goed georganiseerd. Je komt vanzelf weer aan de beurt en dan eten we je levend op, zodat je voelt hoe we het vlees van je botten trekken. Let op mijn woorden! Wacht maar!'

Eindelijk draaide Jack zijn hoofd naar Franklin, die zichtbaar schrok van de bloeddorst die Jack uitstraalde. Zijn ogen fonkelden van haat. Hij opende zijn vuist en liet Franklin de kogelhuls zien, terwijl Jack fluisterde: 'Nee, wacht jij maar!'

# Twaalf jaar later

L euk dat je dat vraagt. Ik heb een tijdje in Engeland gewoond en daar een speciale koksopleiding gevolgd. In Londen heb ik enorm veel geleerd.' Jack nam een slok van zijn koffie en keek de man die tegenover hem aan tafel zat stralend aan.

De man knikte. 'Je hebt er geen gras over laten groeien. Hoe heb je me gevonden?' Hij keek de verzorgde tweeëntwintigjarige jongen nieuwsgierig aan en zag dat er een opgewonden blos op zijn wangen verscheen, die afstak tegen het witte overhemd dat hij nonchalant open droeg.

'Internet is een wonderlijk medium.'

'Ongetwijfeld.'

'Neem me niet kwalijk dat ik het zeg, maar je bent wel oud geworden. Met dat ongeschoren gezicht lijk je nu echt een oude man.'

'Allemaal zorgen, jongen. Zorgen tekenen een gezicht.'

Jack knikte begrijpend. Ondertussen liet hij de lege kogelhuls, die aan een touwtje om zijn nek hing, speels door zijn vingers gaan.

'Maar wat wil je nu precies van mij?' vroeg de man nieuwsgierig.

'Weet je dat echt niet, Franklin?' vroeg Jack. 'Ik wil dat je me alle namen en adressen geeft van iedereen die bij dat genootschap van je zit en ooit heeft gezeten.'

Franklin glimlachte naar Jack. 'Ik neem aan dat deze kelder prima geïsoleerd is en dat niemand me dus kan horen schreeuwen?'

'Dat heb je heel goed gezien. Deze kelder was bijna de helft groter. Die schitterende muren om je heen, staan voor drie rijen oude matrassen. Hetzelfde geldt voor het plafond. Ik weet niet hoe goed je thuis bent in isolatie, maar die gestuukte muren waar je nu naar kijkt, zijn geperforeerd, zodat het geluid gemakkelijk geabsorbeerd wordt, terwijl het er allemaal toch heel netjes uitziet.'

'Ah, dus dat zijn die zwarte spikkeltjes.'

'Precies.'

Franklin keek de kelder nog eens goed rond. In de hoek, tegen één van de muren, stond een lange werkbank. Onder de werkbank waren twee planken aangebracht, die allerlei elektrisch gereedschap bevatten: boormachine, cirkelzaag, bovenfrees, noem maar op. Jack kluste zo te zien graag. Afgezien daarvan, en de witte Ikea tafel met de twee stoelen waar ze nu op zaten, was de betegelde vloer verder leeg.

Er stond iets naast Jack tegen zijn stoelpoot aan, maar Franklin kon zijn hoofd net niet ver genoeg draaien om te zien wat het was. Zijn lijf en benen waren stevig met touw aan de stoel vastgebonden. Zijn armen zaten op zijn rug, achter de rugleuning, de handen waren gekruist en met iets hards aan elkaar bevestigd. Franklin vermoedde dat dit een zogeheten PlastiCuff was, een lange, plastic Ty-Rap, zoals het leger en de arrestatieteams van de politie die ook gebruikte. Het zat in ieder geval erg oncomfortabel. 'Heb je er al over nagedacht hoe je me aan het praten wilt krijgen?' vroeg hij toch een beetje gespannen.

'Jazeker! Ik vind het trouwens prettig dat je zo kalm reageert.'

Franklin zocht even naar de juiste woorden. 'Ik wist dat deze dag eens zou aanbreken. Weet je nog dat ik iets naar je fluisterde, die bewuste avond?'

'Franklin, hoe kan ik dat nou vergeten?'

'Ik keek die avond in je ogen en ik wist het. Ik zag het gewoon. Ik had je af moeten maken toen ik de kans had.'

'Ja, dat was knap stom van je, maar we dwalen af. Je vroeg me hoe ik je aan de praat wilde krijgen? Moet ik daaruit opmaken dat je me niets wilt vertellen?' Demonstratief zette Jack een glimmend, roestvrijstalen koffertje op tafel en klapte het voorzichtig open. In het koffertje zaten allerlei chirurgische instrumenten. Het chroom van de scalpels, tangetjes en naalden schitterde onder het licht van de felle spotjes die in het plafond zaten.

'Ik heb zoiets moois op Ebay gekocht,' ging Jack enthousiast verder. 'Maar mocht je hier niet van onder de indruk raken, dan heb ik ook nog werkplaatsgereedschap. Ik zag je al kijken net.'

Franklin keek nu iets zorgelijker. 'Je weet niet waar je aan begint,' zei Franklin en probeerde ontspannen te klinken. 'Bloed gaat overal in zitten. Je krijgt de ruimte nooit zo schoon dat forensische onderzoekers niets zullen vinden.'

'Hoe kom je erbij dat die hier ooit zullen komen? Bovendien zal ik je een geheimpje vertellen. Zodra je mijn kelder verlaten hebt, letterlijk en figuurlijk, spuit ik de boel met een hogedrukreiniger schoon. Vervolgens laat ik een container voor het huis zetten en strip ik de hele boel, tot op de oude muren. Ik ben de buren al maandenlang aan het voorbereiden dat ik de boel beneden ga opknappen. Ik heb ze verteld dat er een geluidsstudio zit met geïsoleerde muren en dat het slopen veel geluidsoverlast zal veroorzaken. Als ik er eindelijk aan begin, zullen ze enorm opgelucht zijn wanneer de container na een dag of wat weer is verdwenen. Als die eenmaal verdwenen is, zal niemand ooit nog bewijzen vinden van wat er zich hier heeft afgespeeld.'

'Je wilt toch niet net zo'n beest als wij worden?' vroeg hij benauwd.

'Nee, zeker niet.' Jack wachtte even met praten en liet bewust de spanning even oplopen. 'Ik wil voor jou nog iets veel ergers worden.'

Franklin schudde tevergeefs in zijn touwen, maar alles zat zo strak, dat het leek alsof Jack er een diploma voor had. Dat was geen goed voorteken. Alles wees erop dat Jack dit grondig had voorbereid. Hij liet zijn zelfverzekerde houding varen. 'Luister, ik weet lang niet van iedereen wie ze zijn of waar ze wonen.'

'Vertel me maar wat je weet en wanneer ik denk dat je liegt, doe ik je pijn.'

Franklin keek Jack vernietigend aan en zag dat Jack daardoor opnieuw begon te glunderen.

'Ik zal je eerlijk vertellen,' zei Jack, 'toen ik net bij mijn pleegouders woonde, was ik als de dood dat je op een dag ineens voor de deur zou staan om me opnieuw te ontvoeren en om me vervolgens op te eten.'

Franklin zei niets en luisterde. Toen Jack vertelde hoe bang hij geweest was, grijnsde hij even. Er was toch nog iets gelukt.

Hoofdschuddend grijnsde Jack terug en vervolgde: 'Je had me nooit moeten vertellen wat jullie deden. Ik scheet zowat in m'n broek toen je dat zei. Vergeet niet dat ik toen pas tien jaar was! Ik kan je niet vertellen hoe vaak ik 's nachts schreeuwend wakker ben geworden, met die woorden echoënd in mijn hoofd: "Wij eten vlees. Mensenvlees." In mijn dromen droeg je schmink en danste je om dode lichamen met opengereten buiken.' Jack keek ernstig. 'Ik heb het toen best moeilijk gehad. Godzijdank ben ik in een liefdevol gezin terecht gekomen. Ze hadden enorm veel geduld met me. Wat dat betreft heb ik het getroffen. Ik hou echt van mijn tweede ouders en de zussen die ik erbij kreeg. Zielsveel. Maar ik zit nog steeds met al die opgekropte frustraties in me. Ik heb soms het gevoel dat ik ontplof. En dan hebben we nog alle vragen waar ik mee zit.'

'Waarom vertel je me dit allemaal?' Franklin keek Jack vuil aan. 'Je denkt toch niet dat me dit ook maar een klein beetje interesseert?'

Jack schoot in de lach en stond op van zijn stoel. Hij boog voorover en leunde met zijn handen op de tafel, terwijl hij Franklin indringend aankeek. 'Ik vertel je dit allemaal, zodat je begrijpt dat ik niet écht zoals jij bent. Ik ben het product van jouw onvermogen tot medemenselijkheid. En omdat ik door jou zo boordevol haat zit, dacht ik bij mezelf; laat ik de bron van alle ellende nu eens uit mijn leven verwijderen. Je moet goed begrijpen dat ik dit nog nooit gedaan heb, maar omdat ik mezelf vaak zo kwaad voel worden, ben ik héél bang dat ik ineens onschuldige mensen iets zal aandoen. Een treuzelende bejaarde in een rij bij de supermarkt. Een idioot op de provinciale weg die te lang naast me blijft rijden, terwijl ik op een invoegstrook rijd. Iemand die hard tegen me aan botst, zonder even sorry te zeggen, of nog erger, die tegen me blaft dat ík moet uitkijken. Een buschauffeur, die met zijn bus bij een bushalte staat, zijn knipperlicht aanzet en zonder te kijken de weg opdraait, terwijl ik al met mijn auto naast de bus rij. Zo kan ik nog wel even doorgaan. Ik ben doodsbang dat ik op een slechte dag één van deze mensen, om deze kleine flutredenen, iets verschrikkelijks aandoe. Om die mensen te beschermen, doe ik jou en je vriendjes iets aan, zodat ik normaal kan blijven functioneren zonder die voortdurende angst.'

'Je… wilt menselijk worden, door iets onmenselijks te doen?'

'Als dat er voor nodig is, ja.'

'Als je nu toegeeft aan je verlangens, want dat zijn het, wil je uiteindelijk alleen maar meer.'

'Dat is jouw mening. Ik denk dat wanneer ik jullie heb opgeruimd, er voor mij eindelijk rust aanbreekt. Ik voel me nu zelfs al een beetje opgelucht. Je lijkt in niets op dat monster uit mijn geheugen. Als ik naar je kijk, zie ik alleen een oude man, getekend door zijn tijd in de gevangenis.'

'Hoe heb je me nou eigenlijk echt gevonden?'

'Dat is best een mooi verhaal.' Jack kwam overeind en liet zich weer rustig in zijn stoel zakken. 'Op het internet is een groep mensen actief die nabestaanden van misdrijven op de hoogte stellen wanneer iemand vrij komt. Ze werken internationaal en hoeven alleen te weten om wie het gaat en waar hij opgesloten zit. Dan mailen ze je de datum en de tijd wanneer diegene vrijkomt en alles wat je verder maar wilt weten. Je hoeft je alleen maar aan te melden, een kleine donatie te doen en ze zoeken alles voor je uit. Het is volgens mij vooral voor zedendelinquenten bedoeld, maar nadat ik ze over jou vertelde, wilden ze mij ook graag helpen. Vanuit de poort bij Scheveningen ben ik je gevolgd. Ik heb het adres waar je heen ging opgeschreven, gekeken of je daar echt woonde en of je er bleef wonen. Daarna heb ik je twee maanden de tijd gegeven om je zaakjes weer op te starten en toen ben ik je komen halen. Toen je de deur opende, heb ik een doekje met chloroform in je gezicht gedrukt en nu zit je hier. Ik had je overigens wel iets sterker verwacht. En wat vlugger. Je had toen de reflexen van een kat. Wat heb je toch de hele tijd in de bak uitgevoerd, behalve niet fitnessen?'

'Nagedacht over jou.'

'Dan vertel je het niet. Ook goed.' Jack haalde een blocnote en een pen uit zijn borstzakje en legde ze op de tafel, tussen hen in.

'Luister goed, we gaan beginnen. Ik stel de vraag steeds maar één keer. Wanneer je niet, te laat of ongeloofwaardig antwoord geeft, dan moet ik je dwingen om me een juist antwoord te geven. Ben je er klaar voor?'

Franklin begon te rillen over zijn hele lichaam. Het lachen was hem nu wel vergaan.

'Hoeveel mensen,' Jack maakte met zijn vingers aanhalingstekens bij het woord mensen, 'zitten er bij jouw vleesetende clubje?'

'Waarom zou ik antwoord geven als je me uiteindelijk toch vermoordt?'

'Omdat jouw antwoorden bepalend zijn voor je dood. Vlug en pijnloos, pijnlijk, of afschuwelijk pijnlijk. Duidelijk?'

Franklin knikte. 'We zijn nog met dertien mensen. Dat is inclusief mezelf.'

'Heel goed.' Jack schreef het aantal op zijn blocnote. 'Vertel me nu de namen maar.'

'Ik… kan het niet. Dat is het ergste verraad dat er is. We hebben gezworen…'

'Ik hoopte dat dit niet te lang zou duren.' Jack sprong van zijn stoel en sloeg Franklin zo hard als hij kon met een vuist in zijn gezicht. De klap was zo hard dat Franklin met stoel en al achterover sloeg. Jack liep rustig om de tafel heen en zette Franklin weer op vier poten. Franklin herkende de brandende pijn van een gescheurde wenkbrauw en voelde de warme gloed van bloed langs zijn oog glijden.

'Ik zal je andere oog maar heel laten, want ik wil wel graag dat je me kunt blijven aankijken.' Vervolgens haalde Jack een kleine tang uit het koffertje. Het leek wat op een combinatietang, maar dan veel kleiner.

Franklin klemde zijn kaken op elkaar om aan te geven dat hij uit protest verder niets meer zou zeggen. Jack ging achter hem staan, zodat Franklin hem niet kon zien. Hij greep met de tang het bovenste deel van Franklins oor en kneep hard in de tang. Franklin schreeuwde het uit.

'Dit doet ongetwijfeld pijn, maar het is vast niet genoeg om je te overtuigen.'

Met een vlugge scheurbeweging rukte Jack aan de tang. Maar in plaats van het oor eraf te rukken, zoals de bedoeling was geweest, rukte de tang een reepje kraakbeen van het oor en liet de rest aan het hoofd zitten. Franklin begon te krijsen als een mager speenvarken. Zijn oor begon meteen te bloeden.

'Ik kan het echt niet zeggen!' blafte hij.

'Dat hoeft ook nog niet. Ik ben nog niet klaar met dit oor. Die dingen zitten steviger vast dan je zou denken. Het moet er eerst goed af en daarna stel ik je de vraag nog eens. In de tussentijd kun je wat nadenken over je antwoord.'

Jack legde het tangetje op de tafel. Het reepje kraakbeen kleefde nog aan de tanden. Franklin keek walgend toe, maar zei niets meer.

'Misschien moet ik een kleine incisie bovenaan het oor maken.' Jack haalde een scalpel uit het koffertje en maakte met één soepele beweging een flinke snee aan de bovenkant van Franklins oor. Diens gezicht vertrok, maar hij zei nog steeds niets. Jack staarde bedenkelijk naar het gereedschap in het koffertje. Nu haalde hij er een tangetje uit, waarvan de kop aan beide zijden gewafelde, platte kanten had, die op elkaar kwamen wanneer je in de tang kneep.

'Hier moet het wel mee lukken,' mompelde Jack.

Franklin had gezien wat Jack uit de koffer haalde en zette zich schrap voor de komende pijngolf. Jack greep de restanten van Franklins oor met de nieuwe tang stevig vast en maakte opnieuw een scheurende beweging naar beneden. Franklin kon zich schrap zetten wat hij wilde, maar hij was in niets voorbereid op de brandende pijn die nu de zijkant van zijn hoofd leek te verschroeien. Het gewafelde profiel op de tang had voor zoveel grip gezorgd, dat het oor met een zachte plop los kwam van het hoofd. Op de plek waar het zojuist nog gezeten had, zaten nu twee gekartelde wonden rondom de gehoorgang, die hevig begonnen te bloeden. Franklin brulde van de pijn en schudde hysterisch heen en weer in zijn stoel. Het liefst wilde hij flauwvallen om Jack te laten stoppen.

Jack gruwde toen hij zag wat hij gedaan had en hield de tang, met oor en al, bij Franklin voor zijn neus. Daarna gooide hij ze op tafel.

'Ik hoop dat je nu iets beter je best doet, anders hou je straks niet zoveel lichaamsdelen meer over.'

Franklin reageerde niet, waarop Jack met zijn vlakke hand een harde klap tegen de plek gaf, waar eerder het oor nog had gezeten. Franklin krijste nog harder en gaf eindelijk antwoord: 'Oké, oké, ik praat al. Hou alsjeblieft op!'

'Dat zal niet gaan. Wat wel tot de mogelijkheden behoort, is dat ik van je andere oor en je neus afblijf, mits je me gewoon eerlijk antwoord geeft.'

Franklin antwoordde weer niet en jammerde maar wat voor zich uit, hetgeen Jack een beetje begon te irriteren.

'Luister vriend, wanneer je me geen antwoord geeft, kan dit nog heel lang gaan duren. Bovendien zorg ik ervoor dat het onvoorstelbaar veel pijn gaat doen. Misschien denk je dat je van me af bent als je bewusteloos raakt van de pijn, maar vergis je niet. Ik heb alle tijd van de wereld en ik wacht gewoon tot je weer bij kennis bent, zodat we vrolijk verder kunnen gaan waar we gebleven zijn. Dwing me niet op zoek te gaan naar vlugzout, want dan heb je pas echt een probleem.'

Jack liep om de tafel heen en ging weer op zijn plek zitten. Van daar had hij goed zicht op de wond die hij zojuist veroorzaakt had. Langs Franklins wang liepen dunne straaltjes bloed die op zijn lichtblauwe trainingsjasje druppelden.

'Misschien wil je me nu wel de namen vertellen?'

Franklin kreunde van de pijn. 'Ik ken Bert en Martine Schultz.'

'Wat weet je allemaal van ze?'

'Het is een echtpaar van middelbare leeftijd. Ze zitten al vanaf het begin bij ons. Hij is een chagrijn en zij laat zich door iedereen naaien.'

'Pardon?'

'Hij gaat eten en drinken, zij eet wat en duikt vervolgens met iemand de struiken in. Iedereen weet ervan, behalve haar vent. Althans, dat was indertijd zo.'

Jack schudde zijn hoofd. 'Laat bij de volgende namen die onzin toch maar achterwege. Ik wil dat allemaal niet weten. Het gaat me eigenlijk vooral om de woonplaats. Vertel die maar.'

'Tilburg.'

'Adres?'

Franklin schrok en zijn ogen werden weer groot. 'Dat weet ik echt niet,' zei hij vlug. 'Alles gaat via e-mail.'

'Dat dacht ik wel. Maar goed dat ik je computer heb meegenomen. Verder?'

'Peter Kroon uit Kaatsheuvel.'

'Het gaat goed zo. Ga maar verder.'

'Ik moet even denken.'

'Geen probleem.' Jack haalde een grote glazen injectiespuit uit het koffertje en hield hem in de lucht. Het licht van de spotjes weerkaatste in het glas waardoor de spuit begon te schitteren. 'Dat ene oog zit straks toch potdicht, daar hebben we zo niets meer aan. Zal ik in de tussentijd eens kijken hoeveel vloeistof ik uit dat oog kan zuigen met dit ding?'

'Johan Overtoom uit Leeuwarden.'

'Jij gunt me ook geen lolletje.' Jack zag de woede in Franklins ogen fonkelen. Overdreven teleurgesteld legde hij de spuit opzij.

'Esmee de Vlieger uit Heerhugowaard, Irma Bierman uit Almere Haven. Nathalie nog iets. Ze woont ergens in Brabant. Ik weet haar achter-

naam niet. Ze is nieuw. Verder schieten me er geen namen te binnen.'
Franklin staarde gespannen naar het overige gereedschap in het koffertje. 'Je kunt alles vinden op een geheime partitie. Achter hun adressen kom je dan vanzelf wel.'

'Ik weet het, dit is gewoon ter controle. Die partitie heb ik al gevonden. Ik ben best handig met computers. Het gaat mij er vooral om dat ik kan geloven wat je zegt. Vertel me nu eerst maar eens wie het opperhoofd werd van de clan, nadat je weg was?'

'Dat was die Johan.'

Jack schreef alles op wat Franklin hem vertelde. Tien minuten later had hij een lijstje met acht namen en zes woonplaatsen, allemaal verspreid over Nederland. Dit zou hij later vergelijken met de lijst die hij al uit de computer had gehaald.

'Meer namen weet ik echt niet. Ik zweer het!' Franklin keek Jack wanhopig aan.

'Ik denk dat ik je wel geloof. Er zijn nog twee vragen die me al die jaren bijna dagelijks hebben beziggehouden. De eerste: Anne, de vrouw van Jim, kende je haar uit je kneuzenclubje, of niet?'

'Dimorfs vrouw?' reageerde Franklin verbaasd.

Jack kromp ineen bij het horen van die naam. 'Ja.'

Jack zag de twijfel bij Franklin, dus kuchte hij en verschoof de glazen injectiespuit een paar centimeter.

Franklins ogen schoten meteen naar de spuit. 'Nee, ze hoorde niet bij ons.'

'Dus we kunnen veilig aannemen dat ze van niets wist?'

'Dat denk ik wel.'

Jack haalde opgelucht adem. 'Gelukkig. Daar ben ik blij om. De tweede vraag is: wat is er met mijn opa en oma gebeurd? Je weet vast wel dat er stukken vlees verwijderd waren, dus het zal met jullie clubje te maken hebben gehad.'

Franklin zuchtte. 'De vorige President van het genootschap was losgeslagen en heeft je grootouders vermoord om informatie over jou te krijgen.'

Jack gruwde en liet de woorden op zich inwerken. 'Wie was dat?'

'Hij werd Accres genoemd. Maar toen je dierbare Jim en ik indertijd hoorden wat hij had gedaan, heeft Jim zijn hersens ingeslagen, dus die is al voor je opgeruimd.'

'Hij is mij niet dierbaar. Hij was één van jullie. Hij betekent niets voor me. Anne daarentegen wel.'

'Ben je nu klaar met me?'

'Integendeel, ik begin pas. Nu komen de wat minder belangrijke vragen. Het volgende dat ik wil weten, is waar jullie doen wat jullie doen.'

'We kiezen steeds weer een andere plek. Nooit twee keer op dezelfde plek of twee keer in dezelfde plaats.'

'Hoe kiezen jullie de plaatsen uit?'

'Die wordt steeds door een ander gekozen. Diegene organiseert ook de avond zelf en kiest een hulp uit. Iedereen komt een keer aan de beurt, daarna begint het opnieuw.'

Jack stelde nog een aantal vragen, die voornamelijk bedoeld waren om zijn nieuwsgierigheid te bevredigen en keek Franklin toen vragend aan. 'Ik heb het idee dat je nog iets voor me verzwijgt. Dus ik hoop dat je me dat zo gaat vertellen.'

'Er is niets meer!'

'Je begrijpt vast wel dat ik dat even bevestigd moet hebben.'

Jack stond op en begon in zijn koffertje te neuzen. Speurend liet hij zijn vinger langzaam over het glimmende gereedschap glijden, één voor één raakte hij ze allemaal aan en nam er toen een uit. Een klein, chromen hamertje. Het model leek op een klauwhamer, alleen was de klauw bij dit model vervangen door een scherpe punt.

'Hier kan ik je vast mee overtuigen om me te vertellen wat je verzwijgt, maar ik ben bang dat je met je hoofd gaat schudden, als je weet wat ik van plan ben.'

Uit de kontzak van zijn broek haalde Jack een stuk touw. Hij knoopte een kleine lus aan het eind en haalde het touw er doorheen, waardoor er een grote lus ontstond. Deze lus legde hij over het voorhoofd van Franklin en trok hem strak aan. Een deel van het touw sneed over de plek van het voormalige oor, waardoor Franklin opnieuw als een meisje begon te gillen. Jack trok het touw aan en maakte het vast aan de onderkant van de rugleuning. Franklins hoofd werd strak naar achteren getrokken. Hij kon zijn hoofd nu bijna niet bewegen. Jack bekeek het resultaat en liep terug naar zijn stoel. Tevreden ging hij weer zitten.

'Nou, dat viel niet tegen,' vertelde Jack hem.

'Ik weet verder echt niets. Wat wil je weten?'

'Mijn gevoel zegt me dat je iets belangrijks achterhoudt. Misschien weet je het zelf niet, omdat het je onbelangrijk lijkt, maar het schiet je zo wel te binnen.'

'Wat ga je doen?' Franklins ogen schoten angstig alle kanten op.

'Ik ga met dit hamertje één van je voortanden eruit tikken.'

'Wat! Ben je gek geworden?'

'Nou, nou,' zei Jack betuttelend. 'Je bent toch niet van gemalen poppenstront gemaakt? Ik weet zeker dat je zelf wel ergere dingen hebt gedaan tijdens die feestjes van jullie.'

'Maar ik hou niets voor je achter. Ik heb je alles en meer verteld. Je mag alles aan me vragen.'

'Misschien heb ik wel een klein beetje tegen je gelogen en heb ik je niet alleen voor informatie meegenomen, maar ook om wraak te nemen vanwege alles wat je me hebt aangedaan. Ik wil je voor straf toch een beetje martelen en dat ga ik ook doen. Al jullie slachtoffers hadden familie. Mensen die van ze hielden. Het is ook een beetje voor hen. Bovendien kan het ook niet anders. Ik heb een plan met je.'

Jack pakte zijn hamertje en stond vastbesloten op van zijn stoel. In één vloeiende beweging trok hij met zijn ene hand de bovenlip van Franklin omhoog, terwijl zijn andere hand met een gracieuze beweging het hamertje omhoog bracht en precies met de punt een venijnige tik tegen Franklins voortand gaf. De tand brak half in de wortel af en schoot in Franklins keel, die meteen, in een reflex, de tand uithoestte. Het stuk tand stuiterde over de tafel en kwam in het midden tot stilstand. Op de plaats waar de afgebroken tand in Franklins mond zat, was een half-open gat verschenen dat zich langzaam met bloed vulde, zoals een put zich met water vult. Franklin begon als een bezetene te schreeuwen. Jack schrok en liet de bovenlip los. Hij liet zijn hamer zakken en keek een beetje teleurgesteld naar het gat tussen de overgebleven tanden. Hoewel Jack het liefst nog een poging had gewaagd, legde hij toch de hamer terug op de tafel.

Franklin begon te hoesten en proestte een klodder bloed op, dat in zijn keel was gelopen.

'Het resultaat valt een beetje tegen,' zei Jack. 'Ik had het bloederiger verwacht. Doet het wel veel pijn?'

Franklin gleed met zijn tong over de bloederige massa tussen zijn tanden en huiverde bij de aanraking. 'Wat denk je zelf?'

'Het lijkt mij nogal mee te vallen.'

'Het doet verdomd veel pijn.' Franklin had zijn tong in het gat geduwd om de gevoelige zenuwen en de wortel tegen de koude luchtstromen van zijn ademhaling te beschermen. Zijn voorhoofd glom van het zweet. Een paar straaltjes liepen langs de zijkant van zijn hoofd naar beneden.

'Haal even je tong van dat plekje. Het is toch nog niet naar mijn zin.' Jack pakte het hamertje van de tafel en zwaaide ermee voor Franklins gezicht.

Franklin protesteerde hevig toen Jack opnieuw zijn bovenlip omhoog wilde houden. Hij schudde wild met zijn lichaam, waardoor de bovenlip uit Jacks vingers glipte, die hierdoor geïrriteerd fronste.

'Ook goed, dan doen we het anders.'

Iets te gretig pakte Jack een glimmende schaar uit de koffer en zette, zonder er verder woorden aan vuil te maken, de schaar in de bovenlip. Zijn vrije hand had inmiddels Franklins haar vastgegrepen en daar een stevige vuist gevormd. Met een vlotte knipbeweging knipte Jack de helft van de bovenlip los, die nu als een flapje omlaag bungelde. Deze wond bloedde wel flink. Terwijl Franklin krijste van pijn en ontzetting, knipte Jack de tweede helft door en wierp de losse lip opzij. De bovenlip viel met een zompige plof naast hen op de grond.

Franklins bovenkaak was nu duidelijk te zien en hij leek vreemd te grijnzen. Vlug wisselde Jack de schaar om voor de hamer en deelde een venijnige tik uit op de halve wortel, die nu in een badje bloed leek te baden. Het bloed spatte alle kanten op en vlekte lelijk op het nog redelijk witte overhemd van Jack. De hamer verpulverde wat er over was van de wortel en scheurde het tandvlees dat om de wond zat. Franklin schreeuwde en jammerde ononderbroken. De pijn was ondraaglijk, zo te horen.

'Zo, ik denk dat we er nu wel klaar voor zijn,' mompelde Jack.

Hij trok het touw rond Franklins hoofd los. Franklin viel voorover en hing in de resterende touwen om zijn middel.

Jack liep naar zijn stoel terug en nam weer plaats aan de tafel. Hij bestudeerde het bloederige gezicht van Franklin nauwkeurig. Het was de eerste keer dat hij iemand zag zonder bovenlip en met maar één oor. Zijn dichtgeslagen oog en de ontbrekende voortand in de bloederige rij tanden, maakte dat hij het als zombie in een horrorfilm niet slecht zou hebben gedaan.

Hoofdschuddend, ondertussen als een teleurgestelde ouder op hem neerkijkend, stond Jack weer op van de tafel en liep naar de werkbank. Omdat hij met zijn rug naar Franklin stond, kon deze niet zien wat Jack van de planken pakte en waarvan hij de stekker in het stopcontact stak. Ondertussen praatte Jack onverstoorbaar door, nog altijd met zijn rug naar Franklin.

'Ken je de uitdrukking: wat gij niet wilt dat u geschiedt, doe dat ook een ander niet?'

Franklin zei niets.

'Je hoeft het niet te kennen, maar dat is nu precies wat we gaan doen. Ik ga lapjes vlees van jouw lichaam afsnijden en vervolgens worden die lapjes lekker opgegeten. Net zolang tot het niet meer gaat.'

Franklins ogen werden groot van verbazing toen het tot hem doordrong wat Jack tegen hem zei.

'Ik verheug me trouwens al op de sparerib,' zei Jack grijnzend. Met een ruk draaide hij zich naar Franklin en liet de cirkelzaag in zijn handen een paar keer achter elkaar op volle snelheid draaien. Het zaagblad maakte zoveel toeren, dat je de tanden kon horen fluiten.

Franklin werd nog witter dan hij al was. In zijn broek tekende zich bij zijn kruis langzaam een natte plek af.

Jack kreeg de slappe lach toen hij het benauwde gezicht van Franklin zag. 'Dat van die sparerib was natuurlijk een grapje. Dat begrijp je.' Jack legde de cirkelzaag op de werkbank en liep terug naar de tafel. Ondertussen veegde hij de tranen uit zijn ogen van het lachen.

'Dit maakt een hoop goed.' Nu Jack de spanning van zich afgelachen had, voelde hij zich nog beter in zijn rol. Hij bereidde zich nu voor op de climax.

Het leek erop dat Franklin iets wilde zeggen. Het was lastig te verstaan, zonder bovenlip en met een mond vol bloed, maar Jack wist exact wat Franklin wilde zeggen. Het waren precies die woorden waarvan hij al hoopte dat Franklin ze zou vragen.

'Ga jij mij opeten?' vroeg Franklin ongelovig.

Jack grijnsde van oor tot oor. Dit was het stukje dat hij de afgelopen jaren al duizend keer in zijn hoofd en voor de spiegel had geoefend. Hij kende de juiste woorden, en de geperfectioneerde intonatie van zijn antwoord. Zelfs zijn houding had hij geoefend. Hij was vreselijk opgelucht dat hij nu eindelijk de lang geoefende zin, die het ultieme slotstuk van zijn wraak zou vormen, mocht uitspreken.

Jack stond op van zijn stoel en boog over de tafel, tot zijn hoofd vlak voor dat van zijn kwelgeest hing en hun ogen elkaar ontmoetten. Hij gaf langzaam, duidelijk articulerend en met fonkelende ogen als antwoord: 'Nee, jij gaat jezelf opeten!'

# Tweeëntwintig jaar na die bewuste avond

'Papa, papa, kijk eens wat wij gevonden hebben!' Een vrolijke jongensstem schalde enthousiast over de gang. Door de deuropening van de slaapkamer kwam een jochie van een jaar of tien de kamer binnen hollen, op de voet gevolgd door zijn jongere zusje. Zijn handen omklemden stevig een album. Ze sprongen allebei tegelijk op het bed en klommen onhandig over de deken naar hun vader.

'Kijk papa,' zei de kleine meid met haar zachte meisjesstem. 'Hans heeft op zolder een boek gevonden met allemaal stukjes uit de krant erin.'

'Nou,' reageerde Hans geïrriteerd tegen zijn kleine zusje. 'Dat wilde ik zeggen, Roxanna!'

'Jongens, jongens, laat je vader eerst even rustig wakker worden.' Een jonge vrouw met lange blonde haren en een zacht gezicht draaide zich op haar zij.

Ze gaf een por opzij en riep slaperig: 'Jack, doe je ogen open. De kinderen willen je iets laten zien.'

Jack kreunde vermoeid en deed met tegenzin zijn ogen open. Knipperend tegen de felle morgenzon die door de openstaande gordijnen de kamer binnenscheen, wreef hij de ergste slaap uit zijn ogen en staarde geduldig naar zijn zoon en dochter.

'Nou, laat papa dan maar eens zien wat voor schat jullie nu weer gevonden hebben.'

Hans duwde trots het boek bij zijn vader onder zijn neus. Jack herkende meteen de omslag van gebarsten pilotenleer en glimlachte een beetje ongemakkelijk.

'Er staan allemaal berichten in over vermoorde mensen!' riep Hans enthousiast.

De vrouw die naast Jack in bed lag, keek haar echtgenoot bedenkelijk aan. 'Waar komt dat nou weer vandaan?'

'Dit is gewoon een plakboekje, dat ik een tijdje heb bijgehouden.' Jack haalde nonchalant zijn schouders op.

'Waarom zou je in hemelsnaam een plakboek bijhouden over vermoorde mensen?' Ze keek haar man doordringend aan.

'Elise, maak je nou niet ongerust. Het is niets. Een onbenullig plakboekje van zaken die me toen interessant leken.'

Elise nam het boek uit Jacks handen en bladerde er vluchtig doorheen. Er waren slechts twaalf uitgeknipte krantenartikelen netjes ingeplakt. Eén per pagina. Er stond niet bij uit welke krant ze waren geknipt of wanneer.

'Gaaf hè, mamma?' riep Hans vrolijk.

'Ja, het is fantastisch,' zei Elise sarcastisch.

De kinderen, die doof waren voor sarcasme, roemden het album en vroegen honderduit.

'Papa, gaat dit over slechte mensen?' Roxanna staarde naar haar vader, met grote, nieuwsgierige poppenogen.

'Dat klopt, schatje. Over hele slechte mensen. Ik zal jullie er later over vertellen, als jullie wat ouder zijn.'

'Echt waar, pap?' Hans pakte verheugd zijn vaders hand vast.

'Echt waar,' antwoordde Jack.

Toen gooide hij het album naar het voeteneind, greep zijn zoontje met één hand vast en bedolf hem onder een lading zoenen. Zijn andere hand greep teder zijn dochtertje bij haar arm en voorzichtig trok hij haar ook naar zich toe.

'En jou ga ik ook helemaal gek zoenen!' Roxanna giechelde en rolde op haar zij. Ze klom op haar vader en begon hem tegenzoenen te geven.

Terwijl Jack met zijn kinderen stoeide, pakte Elise het album van het voeteneind en bladerde er nog eens in. Nieuwsgierig geworden begon ze het eerste artikel te lezen.

# Deels ontlede man gevonden langs Leidschevaart

*Van onze verslaggevers*
**VOORHOUT** – Het levenloze lichaam van de 56-jarige Franklin Abbekerk uit Voorhout is afgelopen donderdag langs de Leidschevaart gevonden. Politie gaat uit van een misdrijf, gezien de vreemde staat waarin het lichaam zich bevond. De man leek ernstig te zijn mishandeld en was bovendien deels ontleed. Er ontbraken grote stukken vlees van het lichaam, waarvan slechts een klein gedeelte in de keel en mond van het slachtoffer is terug gevonden. Het is echter nog onbekend of dit letsel na overlijden is toegebracht en wat de exacte doodsoorzaak is.

De politie startte meteen een grootschalig onderzoek in en om de woning van Abbekerk, evenals een buurtonderzoek. Het is nog onduidelijk hoe lang het lichaam langs het water heeft gelegen, maar door de verregaande staat van ontbinding waarin het verkeerde, sluit de politie niet uit dat het enkele dagen heeft geduurd voordat het lichaam gevonden werd.

Volgens buurtbewoners was de man slechts enkele maanden geleden ontslagen uit de gevangenis en woonde hij sinds kort in de buurt. Het was een teruggetrokken man die geen contacten onderhield met de andere buurtbewoners en zelden bezoek ontving. De politie heeft nog geen aanwijzingen voor het motief kunnen ontdekken.

Getuigen worden opgeroepen zich te melden bij het lokale politiebureau of te bellen naar nummer: 0900-8844 (lokaal tarief).

# Man gedood bij inbraak

KAATSHEUVEL – De 58-jarige Peter Kroon uit Kaatsheuvel is naar alle waarschijnlijkheid vermoord door een inbreker. De dader heeft ongezien kunnen ontkomen.

Het slachtoffer werd zondagavond rond acht uur in zijn woning gevonden door zijn zuster, die de man miste bij de kerkgang. Ze werd ongerust en besloot bij hem langs te gaan, toen ze het levenloze lichaam van haar broer op de bank aantrof.

Hoewel er verder niets ontvreemd is, vermoedt de politie dat de alleenstaande man een inbreker heeft betrapt. Uit sporenonderzoek is gebleken dat er een worsteling heeft plaatsgevonden. Het slachtoffer is door messteken om het leven gebracht en zittend op de bank achtergelaten.

212

# Vrouw met ruim honderd messteken vermoord

ALMERE HAVEN – De 52-jarige Irma Bierman is op 24 september jl. door messteken om het leven gebracht in haar woning in Almere Haven. Volgens onderzoek heeft de dader haar lichaam honderdentwaalf maal gestoken met een mes.

Het levenloze lichaam van de vrouw werd door haar echtgenoot gevonden, die ongerust was geworden, nadat zijn vrouw de telefoon niet meer opnam. De man brak zijn zakenreis af en reisde in allerijl terug naar huis om bij zijn vrouw te kijken die al geruime tijd leed aan depressies.

Het motief van de daad is nog onduidelijk. Bier-man bevestigde dat zijn vrouw zich met occulte zaken bezighield. Ze was een overtuigd satanist en was vaak alleen op pad, waarbij zij regelmatig nachten wegbleef. Een aantal buren vergeleek de woning met Sodom en Gomorra en reageerde niet verrast op de gebeurtenis.

# Ex-vrouw aangehouden na dood 43-jarige man

**LEEUWARDEN – De politie heeft een 38-jarige vrouw aangehouden voor betrokkenheid bij de dood van Johan Overtoom (43) uit Leeuwarden. Rond vijf uur zaterdagmiddag trof de politie het levenloze lichaam van de man aan in zijn woning aan de Zonnebloemstraat in Leeuwarden. De man is om het leven gekomen door ernstig hoofdtrauma en zware mishandeling.**

Het slachtoffer was een goede bekende van de politie en was onlangs gescheiden van zijn vrouw, die aan woedeaanvallen lijdt. Het is nog onbekend of de ex-vrouw ook daadwerkelijk iets met de moord te maken heeft.

Volgens meerdere buurtbewoners kwam de vrouw nog regelmatig langs om haar relatie nieuw leven in te blazen, maar escaleerden de pogingen even regelmatig, waarna het contact vaak in fysiek geweld ontaardde en de politie herhaaldelijk moest ingrijpen.

# Gruwelijke moord op ouder echtpaar

*Van onze verslaggever*

**ROTTERDAM** – De politie staat voor een raadsel bij de gruwelijke dubbele moord op een ouder echtpaar uit Tilburg. Bert (65) en zijn vrouw Martine (56) Schultz stonden met hun auto geparkeerd onder de Van Brienenoordbrug in Rotterdam. Van beide slachtoffers was de schedel ingeslagen met een zware verstelbare moersleutel, die het stel vermoedelijk in de auto had liggen. Het is nog niet duidelijk of de plaats delict in scène is gezet, of dat de slachtoffers zijn verrast door de dader.

Het vermoorde echtpaar werd ontdekt door spelende kinderen die een voorbijganger waarschuwden over hun vondst. Deze alarmeerde meteen de politie. De kinderen en de man hebben slachtofferhulp gekregen.

Het echtpaar Schultz stond goed bekend in hun omgeving. Buren omschreven het echtpaar als vriendelijk en sociaal. In de buurt is met verbijstering kennis genomen van het afschuwelijke nieuws.

Een grootschalig onderzoek heeft een getuige opgeleverd die een man in een verdachte houding om de auto heeft zien lopen. De getuige stond echter te veraf om een goed signalement te kunnen geven. Daarom doet de politie een nadrukkelijke oproep om hulp. Iedereen die informatie heeft over het misdrijf, wordt dringend verzocht contact op te nemen met Bureau Districtrecherche via telefoonnummer: 0900-8844 *(lokaal tarief)*.

215

# Vrouw vermist na tocht op Loosdrechtse Plassen

LOOSDRECHT – De 40-jarige Barbara van Diggelen uit Amsterdam wordt sinds vrijdagmiddag vijf uur vermist op de Loosdrechtse Plassen. Haar motorboot dreef stuurloos rond op de tweede plas. Toen de havenpolitie de eigenaresse niet op haar boot aantrof, sloegen zij direct groot alarm.

De hulpdiensten waren snel ter plaatse en zochten onder andere met sonarapparatuur de plas af. De vrouw werd echter niet gevonden. Vrijdagavond rond elf uur is de zoekactie beëindigd. Zaterdagmorgen is de zoekactie hervat, echter nog steeds zonder resultaat.

# Oudere man komt om bij bizar ongeluk

**MONSTER** – Een klusje kostte afgelopen maandag een doe-het-zelver uit Monster zijn leven. Lars Schouten (76) was in zijn woning bezig met het aanleggen van verlichting en is daarbij vermoedelijk van de keukentrap gevallen, waarbij hij zichzelf op ongelukkige wijze heeft opgehangen aan de elektrasnoeren die nog uit het plafond hingen.

De politie onderzoekt het voorval nog, maar er wordt uitgegaan van een tragisch ongeluk.

De buren van de man hoorden plots een hoop kabaal en kwamen poolshoogte nemen bij de bejaarde man. Toen deze de deur niet opende, liepen ze om en verschaften ze zich via de achterdeur toegang tot de woning om de man te helpen. Alle hulp mocht toen niet meer baten.

# Lijk gevonden in Nieuwe Maas

**ROTTERDAM** – In het water onder de Erasmusbrug in Rotterdam is gistermiddag het levenloze lichaam van een onbekende man gevonden. Omstanders waarschuwden de politie, die vervolgens het lijk aan de kant haalde. Het is nog onbekend hoe de man om het leven is gekomen. De politie start een onderzoek.

# Vrouw ramt shovel

**HEERHUGOWAARD** – De 44-jarige Esmee de Vlieger is gistermorgen op tragische wijze om het leven gekomen. De auto waarin zij zat is met meer dan 120 kilometer per uur tegen de stalen schepbak van een shovel geklapt. De chauffeur van de shovel had op dat moment pauze en stond achter de shovel zijn brood te eten. Hij is met de schrik vrijgekomen.

De shovel stond op een afgelegen bouwterrein geparkeerd. De politie onderzoekt of het om een ongeval gaat. Een geval van zelfdoding wordt ook niet uitgesloten, hoewel er in de woning geen aanwijzingen daarvoor zijn aangetroffen en de vrouw volgens bekenden niet aan depressies leed.

# Vrouw vermoord in eigen galerie

ANDEL – Kunstenares Nathalie Atteveld is afgelopen zondag in haar galerie vermoord. De 38-jarige vrouw uit Andel, die door kenners geroemd wordt vanwege haar impressionistische stijl, ontving volgens getuigen een klant in haar galerie. Wat er vervolgens is misgegaan is nog onduidelijk, maar toen ze niet thuis kwam eten is haar echtgenoot poolshoogte gaan nemen en vond haar levenloze lichaam.

Voorlopig onderzoek heeft uitgewezen dat de vrouw ernstig mishandeld is voordat ze om het leven kwam door slagen op het hoofd met een stalen staaf. Ook waren er diverse schilderijen onherstelbaar beschadigd, waaronder het impressionistische "De Honger". Dit controversiële kunstwerk van een slachthuis dat mensen naar de slachtbank leidt, betekende de doorbraak van de jonge kunstenares.

Het motief is nog onduidelijk, maar de recherche is een grootschalig onderzoek gestart naar de dader.

# Dode bij explosie in doorzonwoning

**SCHAIJK** – Een gasexplosie en een uitslaande brand in een woning hebben zondagochtend het leven gekost aan de 49-jarige Erik Oostdam. Dit heeft een woordvoerder van de politie maandag laten weten.

Hulpdiensten rukten afgelopen zondagochtend massaal uit, na een melding van een explosie aan de Paul Krugerstraat, waarbij de alleenstaande bewoner nog in het pand aanwezig was. Brandweer en politie vonden de man met ernstige brandwonden. Het slachtoffer werd per traumahelikopter vervoerd naar het Bernhoven ziekenhuis in Oss. Later op de dag is de man aan zijn verwondingen overleden.

De precieze toedracht is nog onbekend. De politie is inmiddels een onderzoek gestart.

# Bizar ongeval begraafplaats

**HOOGEVEEN – Op een begraafplaats aan de Kerkhoflaan in Hoogeveen is op 1 april jl. het stoffelijk overschot van een 48-jarige man uit Hoogeveen gevonden.**

Het vermoeden bestaat dat de werknemer van de begraafplaats tegen het protocol in, zonder begeleiding, een nieuw graf is gaan delven.

Daarbij is de bekisting bezweken die tegen instortingsgevaar moet beschermen, waardoor de man onder het zand bedolven is geraakt.

Werknemers van de begraafplaats werden door bezoekers gewaarschuwd dat er verderop een hand uit de grond omhoog stak en vroegen zich af of dit een misplaatste 1 april grap of kattenkwaad was. Toen de werknemers bezorgd een kijkje gingen nemen, vonden ze hun collega bedolven onder het zand. Reanimatie mocht niet meer baten.

Collega's en nabestaanden vinden de gebeurtenis onbegrijpelijk en hebben er geen woorden voor. De politie stelt een onderzoek in.

# Nawoord van de schrijver

Sommige mensen zijn ervan overtuigd dat alle overgebleven bunkers in Nederland netjes zijn afgesloten en daarmee niet toegankelijk voor kwaadwillende zielen. Dat is niet helemaal waar. De meeste bunkers in Katwijk zijn nu - helaas - grondig afgesloten of verstopt onder de duinen, maar dit was tot ongeveer 2001 niet het geval. Er waren tot die tijd inderdaad veel bunkers deugdelijk volgestort met puin, of afgesloten met grote betonnen platen, maar een even groot aantal was open (je moest wel van het pad en - sorry boswachter - over het prikkeldraad heen) en fungeerde als dankbaar speelterrein voor de schrijver en zijn maatjes, die daar als kinderen oorlogje speelden en naar kogels uit de tweede wereldoorlog zochten.

Voor een indruk van deze en andere open bunkers, of aanvullende informatie, kijk eens op de sites:

www.bunkerpictures.nl
www.bunkerfotos.nl
www.katwijkinoorlog.nl

Hier staan schitterende foto's van ondermeer de bunkers in de Katwijkse Zuidduinen vanuit de tijd dat ze nog open waren. Ook van de bunker waar Jack, de hoofdpersoon van dit verhaal, opgesloten heeft gezeten.

De foto van de bunker op de omslag is door mijzelf genomen en diende mede als inspiratiebron voor dit verhaal.

Hoewel dit verhaal niet echt is gebeurd, is het helaas wel gebaseerd op waar gebeurde feiten. Mijn tweede inspiratiebron was een krantenartikel dat begin 2003 in het Algemeen Dagblad verscheen:

# Horrorsekte schokt Duitsland

*Van onze correspondent*
Een reportage over satanisten, die kleine kinderen en vrouwen zouden folteren, verkrachten en soms levend opeten, heeft beroering gewekt in Duitsland..
Justitie stelt in één geval inmiddels een onderzoek in. Het gaat om Steffi (34) uit Trier, die gisteravond in het programma Reporter (ZDF) vertelde dat ze in Luik satanische diensten moest bijwonen, waar ze meermaals werd verkracht en waar nog levende mensen in stukken werden gezaagd. Een andere vrouw bevestigde haar lezing deels. Steffi, wier ouders lid waren van een zwarte sekte, heeft aangifte gedaan tegen de daders. Zij spreekt van hersenspoeling en van een zwijgverbod. "Anders word je gepakt door de duivel."
Er bestaan ook twijfels over haar schokkende verhaal, dat het voorstellingsvermogen te boven gaat. Het bisdom Trier zegt nog nooit van satanische sektes in de stad en de verre omtrek te hebben gehoord. "Als het waar is, dan zijn het incidenten van lang geleden. Er bestaat geen gevaar voor kinderen", zegt de sektedeskundige van het bisdom. Het tv-station werkte twee jaar lang aan de reportage. Steffi's gruwelijke belevenissen dateren van tien jaar geleden.

*Bron: Algemeen Dagblad 16 januari 2003*